新潮文庫

辺境・近境

村上春樹著

目次

写真　松村映三
イラスト　安西水丸

辺境・近境

イースト・ハンプトン　作家たちの静かな聖地

ロング・アイランド
イースト・
ハンプトン
マンハッタン島
モントーク岬
サグ・ハーバー
フック池
イースト・ハンプトン
ウェストハンプトン
サウスハンプトン
大西洋

イースト・ハンプトンについて書いてくれないかという依頼を某クレジット・カードのPR誌から受けたのは、91年の秋のことである。ニューヨーク・シティー・マラソンに出るから、そのあとに行けばちょうどいいや、ということで取材を引き受けた。同行者は写真の松村映三君。イースト・ハンプトンはたしかに美しい土地だけれど、個人的な意見を言わせてもらえれば、アメリカであれ日本であれどこであれ、作家が集まっているような土地にはあまり住みたくないですね。

プライヴェート・ビーチをもつ、ハンプトンの超豪華コッテージ。

イースト・ハンプトンに行くことになったと言ったら、何人かの出版関係の知り合いが「じゃあ向こうに行ったら是非この人に会いなさい」と言って当地に住む知り合いの作家の名前を挙げてくれた。出版社の広報担当者であるジリアンはトム・ウルフとデヴィッド・レーヴィットとE・L・ドクトロウの名前を挙げた。「ニューヨーカー」の編集者であるリンダ・アッシャーはカート・ヴォネガットの名前を挙げた。ジリアンもリンダも生粋のニューヨーカーだが、ハンプトンにも家を持っていて、そういった作家たちはご近所に住んでいるお知り合いなのである（残念ながら今回はヴォネガットともドクトロウともレーヴィットとも会うことはできなかった。トム・ウルフとは後日ニューヨークで会うことができたが）。

要するにイースト・ハンプトンというところは、文筆にかかわる人たちにとっては、ある種の聖地のようなものなのである——という表現はいささかオーバーかもしれないが、とにかくここには数多くの作家が家を持っている。そしてあえて言うまでもないことだが（イースト・ハンプトンの地価はかなり高いので）、その大半は成功した作家である。イースト・ハンプトンは成功した作家を好み、成功した作家もまたこの土地を好むのだ。そういう意味ではここはアメリカの作家にとっての後天的かつ便宜的な聖地ということになるかもしれない。

　高級避暑地で文筆家が好んで住む場所というと、日本でいえば軽井沢か鎌倉というあたりになるわけだが、実際に行って見てみると、その美しさとスケールの大きさは軽井沢と鎌倉を足して、それをまた二倍してもまだまだ遥《はる》かに及ぶところではない。こういうところに来てみると、アメリカという国の蓄積資本の巨大さにやはり圧倒されることになる。

　イースト・ハンプトンはロング・アイランドの東のほうにあって、ニューヨークからの距離はぴったり百マイルである。車でなら二時間少しで到達できる。お金が余っていればヘリコプターをチャーターして半時間で行ける。もっとお金があれば自家用ジェットで行くこともできる。もちろん作家というのはそれほど金持ちではないので、だいたい車で往復することになる。彼らの多くはニューヨーク市内にアパートメントを持っている。用事があるとニューヨークに来て、それが終わるとハンプトンに帰ってのんびりと仕事をする。これがここに住んでいる作家のだいたいの生活パターンである。僕が以前ニューヨークでジョン・アーヴィングに会ったとき、彼はハンプトンからの往復の車中でディッケンズの小説の朗読テープを聞いているのだと言った。なにしろ時間が長いから、あれくらい長いのを道々聞いているのが最適なんだよ、と彼は言った。しかしそのアーヴィング氏はすでにカナダに引っ越してしまって（どうもアメリカという国が彼には気に入らないらしい）、その家は売りに出ている。「どう、ムラカミさん買ったら？」とジリアンは笑って言う。

ハンプトンに家を持っているのは有名作家ばかりではない。ラルフ・ローレンも、スティーブン・スピルバーグも、ビリー・ジョエルも、カルヴァン・クラインも、ロバート・デ・ニーロも、ポール・サイモンも、その他いちいち名前を挙げていられないくらい沢山の有名人がここに家を持っている。

イースト・ハンプトンには、この手の「新しいソフトな金持ち有名人」が多いのである。しかしそんなリッチ・アンド・フェイマスな人々がここにやってくるのは夏か（彼らはもちろんプライヴェート・ビーチでのんびりと泳ぐのだ）、たまのウィークエンド、あるいは感謝祭、クリスマスくらいのもので、あとはだいたいシティーに住んでいる。夏が終わり、枯れ葉がはらはらと舞うころになると、あとに残るのは地元の住民か、あるいはタイプライターかコンピューターさえあれば何処《どこ》にいたって仕事のできる作家ぐらいということになる。

「これは大変に良いパターンなんだよ」とハンプトン在住の作家ピーター・スウェット氏は言う。「一年のうちの約半分は、この辺は人びとであふれかえる。パーティーがあって、人が行ったり来たりして、やたら賑《にぎ》やかにやる。そしてやがて、こういうのはもううんざりだと思う頃に、ちょうど秋がやってくる。人びとはみんな街に帰っていってしまう。そして僕らはあとに残されて静かに仕事をする。誰にも煩《わずら》わされず、何にも邪魔されず。そしてそういう生活がだんだん退屈になって、何か刺激が欲しいなあと思う頃にちょうどまた五月がやってくるんだ。そういうのって作家にとって理想的だと思わないか?」

ウェストハンプトンでは二週間に一度作家のミーティングが開かれる。ミーティングとはいっても特別なことをするわけではなく、この辺に住む作家たちがみんなで集まって酒を飲み食事をし話をするだけである。「いろんなタイプの作家がいるんだ」と彼は言う。「バド・シュールバーグ（脚本家、フィッツジェラルドのモデル小説『夢破られて』の筆者）、ピート・ハミル（彼は少し前にここを出ていった）、ダットソン・レイダー、その他いろいろ。今度のミーティングは明日の夜だから、君も是非来いよ」。でも僕は翌日の朝にはニューヨークに向けて出発しなくてはならなかったので、残念ながらそのミーティングに参加することはできなかった。

　イースト・ハンプトンの町から二十分ほど車で北に行くと、サグ・ハーバーという港町がある。ここにはトマス・ハリス（『羊たちの沈黙』）、ドクトロウ、ピンターロなんかが住んでいる。ネルソン・オルグレン（『荒野を歩け』『黄金の腕を持つ男』）もかつてここに住んでいた。僕にオルグレンの話をしてくれたのは、書店「カニオズ・ブックス」の経営者カニオだった。

「十一年前にここで古本屋を始めたとき、開店の日に目つきの悪いおっさんがやってきて、じろじろと店の中を見まわしていった。それがオルグレンだった。『おい、君はこれを書店と呼ぶのか？　うちのベッドルームの本棚のほうがまだ本の数が多いぜ』、彼はそう言って帰っていった。でもその三日後に彼は抱えきれないくらいの本を持ってやってきた。そしてこう言った、『さあ、これを並べて売れ』ってね。気持ちの良い男だったよ。シカゴ出身の無骨な男でね、とにかく愛想が悪くて口が悪いんだ。でも中身はとても温かいんだよ」

当時のオルグレンは見捨てられた作家だった。オルグレンの小説を読もうとする若い読者はもうほとんどいなかった。捕鯨港としての過去の栄光をほのかにとどめるサグ・ハーバーの町で、彼はまるで世捨て人のように暮らしていた。でもカニオの店で彼の朗読会を開いたとき、店は聴衆で満員になり、それはオルグレンを幸福な気持ちにさせた。
「その二週間後にオルグレンは死んだ」とカニオは言った。そして首を振った。

　僕が泊まった「ザ・ピンク・ハウス」というゲストハウスの主人はロンという若い建築家である。彼はイースト・ハンプトンの一等地にあるこの古い家が売りに出ているのを買って自分で改築して旅館にしてしまったのだ。「ガールフレンドのスーがこの家を一目見て、ねえここで旅館をやりましょうと言いだしたんだ。二年前のことだけどね」と彼は言う。「彼女に説得されてこの商売を始めちゃったわけさ。改築も隅から隅まで僕がやったんだぜ。壁はがしから、配管、配線、ペンキ塗り、ぜんぶ自分の手でやったんだ」

　家の保持がロンの役割なら、スーは料理の担当である。彼女は素晴らしい朝御飯を作ってくれる。キャロット・ブレッド、ピーカン・マフィン、グラノーラ、パンケーキ、ぜんぶ手作りで、大変においしい。ここはいわゆるベッド・アンド・ブレックファスト

ハンプトン在住の作家ピーター・スウェット氏と。

「カニオズ・ブックス」の経営者カニオ氏。

で、食事は朝しか出ないが、毎朝この朝食を食べるのが楽しみだった。

もうひとつこのゲストハウスで見るべきは、家具調度品である。「ここを始めるためにわざわざ買ったものというのはほとんどないな。僕らがそれまでにコレクションしていたものや、あるいは僕らが僕らのお祖父《じい》さんやお祖母《ばあ》さんから引き継いだものをそのまま使ったんだよ。そうしたらとても落ち着いた雰囲気になった」。そういうものを見ていると、僕はアメリカという社会のある種の健全さを認めないわけにはいかない。十八世紀に建てられた家を買って、自分の手で隅から隅まで改装し、そこに自分たちの手で集めた家具や調度品を飾り、自分たちが作った素朴な料理を出す。日本でいえば脱サラのペンション経営者というところだが、しかしロンとスーには気負ったところが見受けられない。そこにあるのは過去というものをごく素直に引き継いでいるのだという心地の良さである。

「旅館っていうより、自分の家にお客を招待している感じなんだ。だからとくに広告もしない。部屋にはテレビも電話もない。みんなが来てくれて、ここの居間やら食堂やらで、自分の家みたいに寛《くつろ》いでくれたらいいんだよ。この前なんかスピルバーグの結婚式のお客をここにまとめて泊めてね。その時は楽しかったな。ロビン・ウィリアムズやら、マーティン・ショートやら、ロブ・ロウやら、そんなスターがそこの居間に座ってみんなでお酒を飲んで、音楽を聞いたり、歌を歌ったりするんだ。そういうのって本当に素晴らしいよね」

十月にもなると、ハンプトンの町には娯楽と呼べるほどのものは何もなくなってしまう。そうなるとあとは本を読むか、仕事をするくらいしかやることがない。そして本を読んだり、仕事をしたりするのに飽きたら、散歩をするだけである。もっとも具合のいいことには、散歩をするのにここはまことに理想的な場所である。いささか広すぎるので、軽井沢風に自転車であちこちをまわってみるのもいいだろう。ここにはいろんな有名な家があり、いろんな有名人の住んでいる家がある。一九二〇年代に建てられたリング・ラードナーの有名な邸宅がある。サラとジェラルド・マーフィー夫妻が住んだピンク色の家がある。フェイ・ダナウェイの家がある（フェイは自宅の庭にプールを作ろうとして町議会に申請を却下され、腹を立ててちょっと前にそこを出ていった）。カルヴァン・クラインの家のすぐそばに、スピルバーグの家がある。

何故《なぜ》有名人がこのようにハンプトンに集まって住むのか？　何が彼らをハンプトンに引きつけるのか？　これはなかなかむずかしい質問である。僕はハンプトンに来て、そこで会ったいろんな人にこの質問をしてみた。人びとはそれぞれにいろんな答えを返してくれた。地の利の良さ、風景の美しさ、環境保護、治安の良さ、文化的背景。しかし僕をいちばん説得したのはこういう答えである。「有名人はとにかく有名人と一緒にいるのが好きなんだ。そうしているのが彼らにとってはいちばん安心できるみたいだよ」。そうかもしれないと僕も思う。だからこそ聖地はこのように二十世紀に存続し、そしてまた二十一世紀にも存続しようとしているのだ。

無人島・からす島の秘密

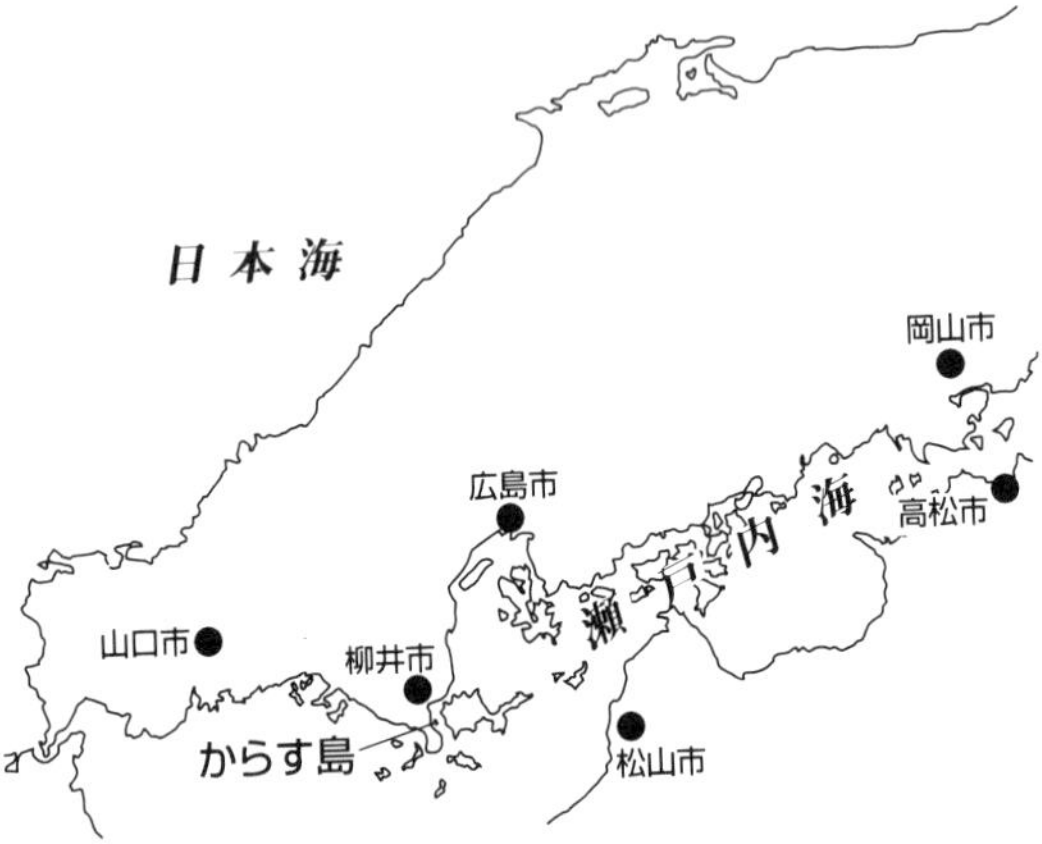
日本海
岡山市
広島市
高松市
瀬戸内海
山口市
柳井市
松山市
からす島

90年8月。無人島というと、なにかロマンチックな冒険のようなものをつい思い浮かべてしまうのだが、それはまことに甘い考えで、読んでいただければわかるように、実際にはけっこう「とほほ」なものです。同行者は松村映三君。この文章は雑誌「マザー・ネイチャーズ」に掲載された。親切にしていただいた島の持ち主の村上さんは数年後に亡《な》くなられた。からす島がその後どうなったのかは不明。

瀬戸内海の無人島、からす島。

瀬戸内海を船で旅行なさったことのある方はおわかりだろうけれど、瀬戸内海にはそれこそ数え切れないくらい沢山の島がある。大きいのは淡路島《あわじしま》から、小さいのは地図にもほとんど載っていないようなのまで、とにかく島だらけである。しかしそれだけ多くの島があっても、個人所有の島となると、この数は驚くほど少ない――ということである。これまでそんなこと僕は知らなかったけれど。

じゃあそういう島はいったい誰のものなのかというと、おおかたの島は自治体が所有しているか、あるいは複数の個人によって共同所有されているかであるらしい。ギリシャにはオナシスを始めとするスーパー・リッチが別宅がわりに所有している島（ヨットハーバー、ヘリパッドつき、もちろん許可がなければ入れない）がいくつかあるし、ハワイのニイハウ島はもう何十年にもわたって部外者を絶対入れず、昔の生活を守り通している頑迷な鎖国島として有名である。しかし瀬戸内海にはそういう身勝手なことをしている個性的な島はない。ひとつくらいあってもいいんじゃないかと思うのだけれど。

山口県にある烏島《からす》はその数少ない、貴重な個人所有島のひとつである。この島を持っているのは村上さんという方だが、残念ながら僕とはまったく血縁関係のない村上さんである。村上さんはからす島の向かい側に住んでいる。もとは古くからある造り酒屋のご主人だったのだが、今は廃業して、海に面した古い宏大《こうだい》な屋敷で、古書の手入れなどをしながら、悠々自適の隠居生活を送っておられるのである。

からす島はその村上邸の真向かい、約八百メートル沖合にある。面積は六千坪。八百メートルしか離れていないから、泳いでいこうと思っていけなくはない。ただしこの辺は全国でも潮流が強くて有名なところなので、いつでも泳げるというわけではない。満潮か干潮の潮の流れのない時にしか泳げない。満潮のときに島まで泳いでいって、しばらくそこにいて干潮のときに戻ってくるか、あるいはその逆ということになる。昔はこのあたりの子供は、からす島まで泳いでいって帰ってきて、それでようやく一人前と認められたらしい。ただし島には電気、ガス、水道は一切ないし、人は一人も住んでいない。世間で言うところの無人島である。

人は住んでいないけれど、島には若山牧水の大きな歌碑が建っている。この歌碑は普段は水の上にぽつんと浮かんでいるが、潮が引くと島から歩いていける。なかなか風情《ふぜい》のある立派な歌碑である。刻まれているのは「からす島かげりて黒き磯《いそ》のいはに千鳥こそをれこぎよれば見ゆ」という歌で、これは牧水が村上さんの家に（お父さんの村上さんの代である）逗留《とうりゅう》していた折りに詠《よ》んだ歌である。村上家はいわゆる地方の名家で、代々文人と交流があり、とくに牧水との関係が深い。僕も今回縁あって村上さんのお宅に逗留させていただいたが、たしかに文章を書くことを生業としているけれど、僕は文人というにはほど遠い人間なのでずいぶん恐縮してしまった。写真の松村君だって、こう言ってはなんだけど、文人とはとても言えないと思う。

僕らが今回ここに来たのは、うちの女房と個人的に親交のある村上さんの親戚《しんせき》のひとりから、このからす島の話を聞いたからである。六千坪もある無人島をひとつ所有して、使い道もないので取りあえずほうったらかしにしてるなんて、これはやはりなかなかのものである。島ひとつといっても、現行の日本通貨に換算した資産価値から言えば北青山のワンルーム・マンションのほうがあるいは高かったりするのかもしれないけれど、それはそれ、これはこれである。ボートはボートであり、ファックはファックである（といっても映画『シャーリー・ヴァレンタイン』を見ていない人にはわからないだろうな）。島をひとつ持っている人生というのは北青山にワンルーム・マンションを持っている人生とは確実に違っている——と思う。そんなことを考えているうちにだんだんその島に行ってみたくなってきた。できたらテントと釣り竿《ざお》を持っていってそこで何泊かしてみたい。日本では無人島で泊まるなんていうことは現実的になかなかできない。できるときにやっておきたい。という話をしたら、どうぞお越しくださいという返事を村上さんからいただいたので、喜んでうかがうことにした。

でもいくらなんでも一人で無人島に行くのはいささか不安なので、写真の松村君にその話をして誘ってみたら、いいです、一緒に行きましょうということで話がすぐに決まった。

「でもコーヒー・フィルターをいっぱい買わなくちゃなりませんね」と彼は言う。「無人島で水がないんなら、コーヒー・フィルターが必要ですから」

「なんで?」

「だって、海水を漉《こ》して真水にしなくちゃならないでしょう」

というような話をしていると、こんなんで大丈夫かなあとだんだん不安になってくる。けっこう考えこんでしまう。でもとにかくテントやらポリタンクやら寝袋やら食料やら食器やらを揃《そろ》え、車にそれを積み込んで、台風のまっただなかを一路山口へと向かったのである。

まずその日は村上さんのお宅にお世話になって、翌日からす島に渡る。翌日は台風一過の好天である。朝早く、近所のおじさんの漁船に乗せてもらって島のまわりをとりあえずぐるりと一周し、それから島唯一《ゆいいつ》のビーチに荷物を下ろす。この島には他にもうひとつ綺麗《きれい》なビーチがあるが、ここは潮が満ちると水没してしまう。干満の差がとても激しいところなのだ。島には船着き場なんてもちろんないから、ノルマンディー上陸作戦のときみたいに、荷物をかついでじゃぶじゃぶと海の中を運ばなくてはいけない。海の水は驚くくらい澄んで美しい。

上陸作戦といえば、戦争中は実際に陸軍がこのビーチで上陸作戦の演習をやったそうである。村上家は訓練に使わせてほしいという申し入れがあったときに、この島をお国に献上したのだが、戦争が終わったあとでまた返ってきた。前述した歌碑は軍がそのお礼に建てたのだ。世の中にはいっぱい歌碑があるけれど、陸軍が建てた歌碑というのはこれひとつしかないらしい（まあそうだろうな）。小さな島だけれど、ひとつの島には島なりのいろんな歴史がある。

島の九五パーセントの部分は原生林のようになっていて、その中に人が足を踏み入れることはほとんどできない。竹がいっぱい生えているので、戦争中はわざわざここまでたけのこを取りにきたということだが、今ではそんな手間をかけてたけのこを取る人もいない。樹木が密生しているので、普通の人がそこに入ることはちょっと不可能である。林の中には大きな鷺《さぎ》がいくつも巣を作っている。やたら大きな白鷺で、僕はこいつを初めてみたとき仰天した。てっきりコウノトリだと思ったのだ。それくらい大きい。鷺たちは海岸の岩の上でのんびりとくつろいでいたのだが、僕らの船が近づくとみんな「いやだなあ、こんなところにわざわざ来るなよなあ」という顔つきで面倒くさそうにばたばたと豪快に飛び立っていった。そして林の枝の上に腰を落ち着けた。島はまさに野鳥のサンクチュアリみたいになっている。トンビもいるし、鳩《はと》もいる。もちろん名前のとおりカラスもいる。鷺とカラスが同じ林に同居しているとなんだかみんなでオセロ・ゲームをやっているみたいに見える。

鳥の他に林の中に何が住んでいるのかは誰にもわからない。蛇が住んでいるという説もあるが、確証はない。誰かが兎《うさぎ》を連れていって放したという説もあるが、これもまた確証はない。ときどき林の中でがさごそという音が聞こえる。たぶん鳥だとは思うけれど、何がいるのかわからないというのはあまり心なごむ状況ではない。

荷物を全部下ろしてしまうと、船は港に戻っていく。村上さんが船に乗ってわざわざ島まで一緒に来てくれた。

「本当にここで三日間もキャンプするんですか？」と別れ際《ぎわ》に村上さんがもう一度確認

する。

「ええ、できたらそれくらいいたいんです。食料も水もちゃんと用意しましたから」と僕は言う。水二十リットル入りのポリタンクを二つ、それにミネラル・ウォーターを半ダース。これだけあればまあ充分だろう。

船が行ってしまうと、なんだかあたりがしんとしてしまう。本土から八百メートルしか離れていないから、すぐそこに家々が見える。行き来する漁船も見える。だから何かあれば、手を振るか、あるいは大声を出せば助けは呼べると思う。無人島とは言っても、これはかなり初級者向けの無人島である。ひとこま漫画に出てくる椰子《やし》の木が一本生えた無人島とはえらい違いである。でも、そうは言っても無人島は無人島である。本当にここには我々以外に誰も人間がいないのである。そう思うとなんだか妙に突然無口になってしまうのだ。


何はともあれまずテントを設営する。それから「さあ、思い切り泳ぐぞ」と思って海に入った。波もないし、水は綺麗だし、非常に気持ちがいい。しかし少し沖に出たところでクラゲに刺された。僕は昔からクラゲというのが好きではない。高校生のとき、遠泳をやっていて、クラゲの群れの中に入ってしまったことがあって、その時は心臓が止まるかと思った。とにかくあわてて陸に戻ると、脚にみみずばれが出ていた。もう秋も近く、台風が去ったあとなので、クラゲが出始めているのだ。それで残念ながら水泳はとりあえずあきらめ、真っ裸になって岩かげで日光浴をした。これもまた無人島で是非やりたいことのひとつであった。僕は何を隠そう、裸になって体を隅々までたっぷりと日に焼くのが大好きなのだ。やってみるとわかるけれど、これは本当に気持ちのいいものです。でも日本にいると無人島くらいでしかそれができない。岩にもたれて、アン・ビーティーの短編集を読みながら（それが無人島で全裸で読むにふさわしいものかどうかはかなり疑問だが、それしか本を持ってこなかったのだ）、二時間か三時間のんびりと日光浴をした。ときおり島と本土とのあいだを中型の貨物船やフェリーが通り過ぎていく。日差しは強く、あたりの風景はいかにも瀬戸内海的にぼんやりと優しくかすんでいる。もう完全にレイドバックしている。どうだ、ざまあ見ろと思う。誰に向かってそう思っているのかは僕にも正確にはわからないけれど、なんとなくざまあ見ろ的な不敵な気分になってしまうのだ。こういうのもあるいは無人島の効用であるのかもしれない。

昼御飯を食べてから、少し釣りをやってみる。我々はキスの投げ釣り用の用意をしてきたのだが、いざやってみると海の底が石なので、すぐに針がひっかかってしまい、全然うまくいかない。仕方なくこれもあきらめる。結局これで水泳と釣りがバツというこ

島唯一のビーチに荷物を下ろす。

島の「住民」たち。

とになる。キスのフライも食べられない。現実というのはなかなか上手《うま》く運ばないものである。我々の目論見《もくろみ》では水泳と釣りをしていれば三日くらいあっという間に過ぎてしまうさ、ということになっていたのだ。僕らはどうも釣りには向かないようで、この前トルコの黒海沿岸で二人で釣りをしたときにもただの一匹も釣れなかった。こうなるとあとは延々ヌード・サンベイシングをやりながらアン・ビーティーを読んでいるしかない。それも曇ってしまったらもうおしまいだ。

この辺からだんだん我々の悲劇が始まる。うまくいかない方面へと運命が針路を取っていくのだ。

四時に干潮になって岩が露出してきたので、島のまわりを歩いて一周することにする。松村君も写真を撮りたいと言うし、僕もどんな島なのか一応一周して見ておきたい。ごく一部を除いてこの島の岸は切り立った崖《がけ》になっているので、干潮のときにしか歩いてまわれない。潮が引いたときに海面から現われた岩の上を、ぴょんぴょんと飛ぶようにして歩く。それでも、干潮のときでも、一部の箇所では靴を脱いで水の中に入らなくてはならない。松村君はライカを首からさげて写真を撮っていたのだが、足を水の中に入れて歩き出したとたんに牡蠣《かき》の殻で足の裏をすぱっと切ってしまった。そして近くの岩に反射的に手をついた時に、手のひらもまたすぱっと切ってしまった。ご存じのように牡蠣の殻というのは実に鋭くてよく切れる。そしてからす島の北側の岩場には牡蠣が一面に張りついているのだ。

かなり血が出たので、あわててテントに戻って処置をした。消毒して包帯を巻いたのだが、傷はけっこう深くて、なかなか血が止まらなかった。一応応急医療キットは持ってきたのだが、消毒薬にしても包帯にしても、それほど沢山の量は用意してない。こういう時には無人島というのは大変である。薬局までちょっと泳いでいくわけにもいかない。おまけにライカも海水につかって駄目になってしまった。大事にしているアンティックのライカだし、中には撮影済みのフィルムも入っている。「弱っちゃったね」「まあ、大丈夫ですよ」なんて言ってるうちに日が暮れてきて、そのうちに虫が出てきた。虫である。

日暮れどきに食事をしているときから、いやに虫が多いなあとは思っていた。でもその時はたいして気にしなかった。まあ無人島なんだもの虫くらいいるだろうと思っていた。もそもそと体を這《は》い上がってくる虫を払いながら食事を終え、夕暮れの海を眺めつつ酒を飲んでいた。しかしあたりが暗くなるにしたがって、虫の数は黙示録的に増えていった。いろんな虫がいた。まずフナムシ。こいつは昼間から岩場にいっぱいいたのだが、こっちには寄ってこなかった。ところが暗くなると勇気がでるのか、けっこうやってくる。これはご存じのようにあまり親しみの持てる虫ではない。それからひょっひょっと跳ねるように飛ぶ足長の蜘蛛《くも》みたいなのがあたりを飛びまわり始める。害はなさそうだけれど、こういうのにまわりを囲まれるとそれほどいい気はしない。そしてゾウリムシみたいなやつ。こいつらは日の出ている時には砂の中で丸くなって眠っている。ところが日が暮れると、もそもそと上に這いだしてくる。そして食べ物をさがすのである。こいつらがうじゃうじゃとやってくる。普段は人なんていないところに人がやって来て、食事をしたわけだから、虫としては食べ物に引かれたのだろう。

懐中電灯で照らすと虫たちがあらゆるところに入り込んでいるのが見える。食料品を入れた袋にも、バッグにもカメラケースにも、食器にもテントにも、虫がどんどん入っていく。僕らはあわてて大事なものを密閉式のテントに放り込み、既に中に侵入していた虫たちを追い出した。そしてテントの中に閉じ籠《こ》もって、じっとしていた。あれだけの数の虫を見ると、とても外に出る気なんか起きない。テントの中は狭く、蒸し暑い。そんなところに大人の男が二人入っていたってちっとも面白くない。でも外に出ると虫がいる。虫たちはテントの屋根にもたかっていて、頭上でざわざわ、ざわざわという気持ちの悪い音を立てている。夜になると、夜の小さな生き物たちが地表を支配する。我々はその世界への闖入者《ちんにゅうしゃ》なのである。文句を言うわけにもいかない。小さいとはいえ、無人島には無人島なりの自立した生態系がきちんと存在している。昼間はそれほど感じないのだが、日が暮れて真っ暗になると、我々は文字通りそれに取り巻かれてしまう。我々はその存在をひしひしと肌身に感じることになる。我々は無力であり、逃げ場所はない。夜は彼らの世界なのだ。ブラックウッドの『ドナウの柳原』という不気味な小説を思い出してしまった。

それから夜中に潮がひたひたと満ちてきた。前にも書いたように、この辺の潮の干満差は非常に大きい。それはわかっていたからテントは砂浜のいちばん奥に設営したのだが、それでも海の水は我々のテントのすぐ足元まで満ちてきた。僕はだいたいはぐっすり寝ていたのだけれど、それでも夢うつつにだんだん足元に押し寄せてくる波の音を聞いていた。大丈夫かなこれ、とも思った。でもしっかりと眠る性格なので、まあどうでもいいや、何とかなるだろうと思ってそのまま寝てしまった。でも松村君は心配でろくに眠れなかったという。気の毒であった。ライカは海に落とす、手足は切る、虫に襲われる、夜は眠れない、良いことはひとつもない。

夜が明けると、虫たちはもういなくなっていた。砂浜にはゾウリムシたちがもぐりこんだ小さな穴が無数にあいていた。ためしにシャベルで掘り起こしてみると、ずうっと深いところに昨夜の連中が丸くなって眠っていた。明るいところに出してやると「チェッ、うっせえなあ。勘弁しろよなあ」という感じでもそもそと蠢《うごめ》き、また穴を掘って地下に潜っていった。何がうっせえだよ、ざけんじゃねえよと思って（だんだん品がなくなってくる）、いっぱい掘り出していじめてやったのだが、そういうことをしているのも虚《むな》しくなってきて、また裸になってアン・ビーティーの続きを読んだ。

昼前に村上さんが漁船でやってきた。

「どうですか、何か問題ありますか？」と村上さんが船の上から僕らに声をかける。わざわざ心配して寄ってくださったのである。

僕と松村君とは、あの虫どもと一緒にここでもう一晩過ごす気が起きないという点で完全に意見が一致した。それに傷のことも少し心配である。

村上さんにそれらのことを訊《き》いてみると、「海の傷は海の水で洗えば綺麗になりますから、たぶん大丈夫でしょう。虫はまあ出よるでしょうな」という趣旨の返事が戻ってきた。そういう考え方もたしかにあると思う。しかし僕にしても松村君にしても、わざわざダイハードな体育会系艱難辛苦《かんなんしんく》を求めてここまで来たわけではないのだ。我々は無人島の砂浜にのんびりと寝ころんでメロウな気分になりたかっただけなのだ。まわりをびっしりと虫たちに取り囲まれた蒸し暑い狭いテントの中で何日も男二人で寝たくない。だから申しわけないけれど、夕方前に船で迎えにきてもらうことにする。

船が引き揚げてから夕方までに、僕らはもう一度島のまわりを一周し、松村君はもう一台のキャノンで写真を撮った。僕はそのあいだ、磯《いそ》の生物を観察していた。潮の引いた岩場には実に様々な生物がいる。何をしているのかはしらないけれど、あちこちにうじゃうじゃと蠢いている。いそぎんちゃくやらシャコやら歩く巻き貝やら見たことのない虫やら蟹《かに》やら、そういう連中が一生懸命生活している。それをじっと眺めていると本当に飽きない。昭和天皇はずいぶん長い間飽きもせずに——というかお飽きにならずに——そういうものどもをせっせと観察しておられたようだが、たしかにこういうのは凝りだすとはまってしまいそうなところがある。ぼおおおっと眺めているうちに長い時間が過ぎてしまった。あるいは崩御された先帝も、磯のものどもを眺めつつ、ある時にはこのようにレイドバックしてぼおおおおおっとしておられたのかもしれない。畏《おそ》れおおくも臣村上はこのように推察申しあげるのであった（まったく自信ないけど敬語はこれであってるのだろうか）。

とかなんとかやっているうちに日がぼちぼちと西に傾き、夕暮れが近くなってくる。地中で眠っていた何万匹というゾウリムシたちが「そろそろ上に行くか」ともぞもぞとのびをしかける頃に、村上さんがまた漁船で迎えに来てくださった。荷物を船に積み込み、最後にもう一度島のまわりを船でぐるっとまわってもらう。相変わらず大きな白鷺が岩の上でのんびりとレイドバックしていて、僕らが近づくと「なんだよ、なんだよ、まだいたのかよ、まったくもう」という感じでばたばたと飛び立つ。でも船が島を離れると、そこはまたもとの無人島に戻る。そこはゾウリムシやら、磯のものどもやら、林の中に住む何かやら、白鷺やらカラスやらのものに戻る。この島を法的に所有しているのは村上さんだけれど、各種「からす島在住生物」のみなさんにとっては、そんな法律的な問題は完璧《かんぺき》にブルシットである。ヘイ・マン、ファック・オフである。知ったこっちゃないのだ。島はあくまで彼らのものである。法律は法律であり、無人島は無人島である。ボートはボートであり、ファックはファックである。

　というわけで、いろいろ予想外の災難にはあったけれど、無人島というのはまことに奥深く興味深いところであった。初級者向けの無人島とはいえ、そこにはやはりそれなりの迫力がある。これから無人島に泊まりに行く予定のある方は――そういう人が日本中に何人おられるのか推定のしようもないわけだけれど――心していただきたいと思う。何はともあれ山口県柳井《やない》市伊《い》保庄《ほのしょう》の村上さんにはすっかりお世話になって、お礼の申し上げようもない。

メキシコ大旅行

アメリカ
メキシコ
メキシコ湾
メキシコ・シティー
プエルト・バヤルタ
太
平
洋
クユトラン
プラヤ・アスル
チアパス州
シワタネホ
アカプルコ
グアテマラ
オアハカ
プエルト・エスコンディド
プエルト・アンヘル
トゥストラ・
グティエレス
サン・クリストバル・
デ・ラス・カサス

92年7月。前半は一人でバスをつかって旅行をし、はるばるニュージャージーから車でやってきた松村映三君と、僕の翻訳者でもあるアルフレッド・バーンバウムと途中で合流した。雑誌「マザー・ネイチャーズ」に掲載。旅行のあとしばらくしてサン・クリストバル・デ・ラス・カサス近辺で先住民の大規模な反乱があり、その後も虐《ぎゃく》殺《さつ》事件などが続いた。今ではおそらくこんなにのんびりとした旅行は不可能だろう。でもメキシコはとても魅力のある土地だった。またいつか訪ねてみたいと思う。彼《か》の地に平和が戻ることを切に祈っている。

ララインサールの村。

プエルト・バヤルタからオアハカまで

一カ月ばかりメキシコを旅行しているあいだに、そこで出会った何人かの人々から「あなたはどうしてまたメキシコに来たんですか?」という質問を受けた。そしてそのたびに僕は軽い混乱を経験することになった。その質問には〈他の国ではなくて、なんでわざわざメキシコを旅行の地として選んだのですか?〉というニュアンスが含まれているように感じられたからだ。僕はこれまでにいくつかの国を旅行したけれど、かくのごとき、ある意味においては根源的と言えなくもないような問いかけをされた記憶はほとんどない。たとえばギリシャにいても、トルコにいても、ドイツにいても、「あなたはまたどうしてギリシャに(あるいはトルコに、あるいはドイツに)来たのか?」と尋ねられることはまずなかった。彼らはだいたいにおいて、人々が自分の国に旅行に来るのは当然であると考えているようだった。それは僕にはかなりまっとうな考え方であるように思える。何故《なぜ》なら僕は旅行者なのだし、旅行者というのはなんといっても何処かに行くものだからだ。彼なり彼女なりがかばんを下げて、切符を買って、何処《どこ》かに行くからこそ、それが旅行として成立する。そうですね？　そしてもし旅行者が何処かに行かなくてはならないのだとしたら、どうして彼がトルコに、あるいはギリシャに、あるいはドイツに、あるいはまたメキシコに行ってはいけないというのか？

そういう文脈からいえば、僕は「あなたはどうしてメキシコに来たのか？」という問いかけに対して、「どうしてメキシコに来てはいけないのか」と逆に、あくまでイノセントに、問い返すことだってできる。どうして文言化可能な理由なり目的なりを持たずに人がメキシコを訪れてはいけないのですか？

たとえば日本を旅行している外国人に向かって同じような質問をしたら（どうしてあなたは日本に来たのか？）、たぶんいろんな種類の答えが返ってくるだろう。でも――もちろん何かしらやむをえない事情があってどうしても日本に来なくてはならなかったという人を別にすればだが――つまるところ、その答えはひとつしかないはずだ。彼らは自分の目でその場所を見て、自分の鼻と口でそこの空気を吸い込んで、自分の足でその地面の上に立って、自分の手でそこにあるものを触りたかったのだ。

ポール・セローのある小説の中で、アフリカにやって来たアメリカ人の女の子が、なぜ自分が世界のあちこちをまわりつづけることになったかについて語るシーンがあった。ずっと昔に読んだ本なので、台詞《せりふ》の細かいところまでは正確には覚えていないので、まちがっていたらごめんなさい。でもだいたいこんな内容だったと思う。「本で何かを読む、写真で何かを見る、何かの話を聞く。でも私は自分で実際にそこに行ってみないと納得できないし、落ち着かないのよ。たとえば自分の手でギリシャのアクロポリスの柱を触ってみないわけにはいかないし、自分の足を死海の水につけてみないわけにはいかないの」。彼女はアクロポリスの柱を触るためにギリシャに行き、死海の水に足をつけるためにイスラエルに行く。そして彼女はそれをやめることができなくなってしまうのだ。エジプトに行ってピラミッドに上り、インドに行ってガンジスを下り……、そんなことしてても無意味だし、キリないじゃないかとあなたは言うかもしれない。でも様々な表層的理由づけをひとつひとつ取り払ってしまえば、結局のところそれが旅行というものが持つおそらくはいちばんまっとうな動機であり、存在理由であるだろうと僕は思う。理由のつけられない好奇心、現実的感触への欲求。

でもメキシコでは少しばかり事情が違うようだ。旅行の前にアメリカ人のジャーナリストと話していて、僕が「これから四週間ばかりメキシコを旅行するんだ」と言うと、彼はひとつの忠告を与えてくれた。

「メキシコに行くと、彼らは必ず君に質問をするだろう。どういう理由で君がメキシコをそんなに長く旅行しているのかと」

「うむ」

「そのときにはだね、こう答えればいい」と彼は真面目《まじめ》な顔で言った。「自分はメキシコ料理についての本を書こうとしているんだってね。いいか、メキシコ料理だ。それが彼らが納得する唯一《ゆいいつ》の理由だ。それでうまくいく」

「なるほど」

「でもそこにはいささかの問題もある」

「どんな問題だろう？」

「一度メキシコ料理について話しだすと、彼らは永遠に話し続ける。俺のおっかさんの自慢料理はこんなだった。俺のばあさんの自慢料理はこんなだった……」

それで結局、僕はメキシコ料理についての本を書くという話題は持ち出さないことにした。


オアハカの町でたまたま出会った日本人の女の子と、広場の前のカフェで冷たいビールを飲みながら話をしているときに、「村上さんという人にはメキシコに来るという感じがあまりないんですよね。そぐわないというのかな。どうしてメキシコを旅行地として選んだんですか?」と質問された。

そぐわない。

そう言われてみると、あるいは僕はメキシコという国にはそぐわない人間だったのかもしれないな、という気がだんだんしてくる。考えれば考えるほど、自分という人間が、間違った動機によって、間違った場所に来てしまった間違った存在のように思えてくる。正直にいって、それまで僕自身はメキシコという国と自分とのあいだに、違和感というほどのものはとくに感じなかったのだけれど、一度気になりだすと、まるで癌《がん》の細胞が異常繁殖するみたいに、僕の中で違和感の可能性がどんどん膨らんでいくのが感じられる。僕にはその増殖を止めることができなくなってしまう。何故なら「そんなことはないよ。僕はメキシコにそぐわない人間というわけじゃないんだ」ときちんと反論できるだけの理論的根拠のようなものを、僕はまったく持ち合わせていないからだ。僕はただ、前にあげたセローの小説の女の子が、ただそれを見て、ただそれに手を触れたいというだけの理由によって「そこに」行ったように、「ここに」来たのだ。〈メキシコという土地に行ってみたい〉というただの気持ちが僕をここまで運んできたのだ。

でもそういう答えは（それがたとえどのように正直で誠実なものであったにせよ）た

ぶんあまり役に立たないんだろうな、と思った。そこにはおそらくもっと説得力のある答えが必要とされているのだ。メキシコを旅行しながら僕はそう感じ続けていた。事実、僕がメキシコで出会った外国人はたいてい、自分が今こうしてメキシコにいることについての明白な理由を持ちあわせていた。メキシコに住んでいる理由、メキシコを旅している理由、メキシコという国に惹《ひ》かれている理由。ある人はアステカやマヤの文化や遺跡に夢中になっていたし、ある人はメキシコの美術に惹かれていたし、ある人はメキシコの風土や風景に恋をしていたし、ある人はメキシコ人たちがメキシコ人たるメキシコ性にのめりこんでいた。ある種のアメリカ人はある種のアメリカ性の対極にあるものとしてメキシコを捉《とら》えていたし、ある種の日本人はある種の日本性の対極にあるものとしてメキシコを捉えていた。彼らはメキシコについて話すときに、一種、特別な目つきをした。そういう人たちに会うたびに、僕はいつも自分の中の目的意識の欠如を強く深く認識させられることになった。うしろめたいような気持ちにさえなった。そういう意味では、ここはなんだか奇妙な国だったといえなくもない。

この国は入国者に向かって、パスポートとツーリスト・カードの他に、何かしら明確な目的のようなものを要求しているのかもしれない、と僕は思うようになった。口に出して言えて、他人を納得させられるような明確な目的を。「なるほど、わかりました。

そういうわけであなたはここにいらっしゃったんですね」と言われて、ぽんとスタンプを押してもらえるような目的を。「いや、ちょっといろんなものを見てみたかったんですよ。それが何処であれ、実際にこの目で見てみなくてはどんなところかわからないじゃありませんか」というような説明では、ここではほとんど誰も納得してくれない。もちろんアカプルコとか、カンクンとかいうような大観光地にジェット機で行って、三日か四日泳いでそのまま帰ってくるというような旅行なら別だけど、今回の僕の旅行のように、一カ月もかけてゆっくりと普通のメキシコを見てみたいというような場合には、そこにはもっとくっきりと明確な理由が要求されることになる。

でも、自己弁明するわけではないのだけれど、僕の人生というのは——何も僕の人生だけに限ったことではないと思うけれど——果てしのない偶然性の山積によって生み出され形成されたものなのだ。人生のあるポイントを過ぎれば、我々はある程度その山積のシステムのパターンのようなものを呑《の》み込めるようになり、そのパターンのあり方の中に何かしらの個人的意味あいを見出《みいだ》すこともできるようになる。そして我々は、もしそうしたければ、それを理由（リーズン）と名づけることもできる。しかしそれでもやはり、我々は根本的には偶然性によって支配されているし、我々がその領域の輪郭を超えることができないという基本的事実には変わりない。学校の先生がどれだけ論理的で整合的な説明を持ち出してこようとも、理由（リーズン）というものは、もともとかたちのないものに対していわば無理やりにこしらえあげた一時的な枠組みにすぎないのだ。そんな、言葉にできる何かにどれほどの意味があるだろう。本当に意味があるのは、言葉にできないものの中に潜んでいるのではないのか。でも、僕がメキシコという「場」に足を踏み入れて、そこにある空気を吸ってまず感じたことは、そんなことを言いだしてもここではきっと通用しないんだろうなというある種の諦観《ていかん》だった。

それはここに来る前に、メキシコ人の作家の書いた何冊かの本を読んだときからうすうすと感じていたことではあった。僕が読んだのは（あるいは読もうとしたのは）オクタビオ・パスの『孤独の迷宮』とカルロス・フエンテスの『私が愛したグリンゴ』だったけれど、どちらも途中であきらめて放り出すことになった。読み物として面白くなかったということもあるけれど（言うまでもないけれど、僕に面白くないと思われることによって、これらの書物が文学的価値を減じる可能性は、どのような意味あいにおいてもない）、それと同時に「そりゃそうかもしれないけれど」と僕はため息まじりに思ったのだ。彼らがそれらの本の中に書いていることは、煎《せん》じ詰めていけば、たったひとつの事実であるように僕には思えた。それは「これがメキシコだ、これがメキシコ人だ、これがメキシコだ、これがメキシコ人だ……」ということである。旅行をする前にこんなものをいちいち読んでいたら、旅行にならなくなってしまうじゃないか、と僕は思ったのだ、正直なところ。そしてもしメキシコという国が自国の文学や文学者に、本当にこれほど切実な自己規定、自己解析を要求しているのだとしたら、これはなんだかずいぶんな話であるような気がするなと。

＊

最初の十日間、僕はひとりで旅行をした。僕はサン・フランシスコから飛行機でプエルト・バヤルタという太平洋岸の観光地に行って、そこからバスに乗って海岸沿いに移動し、オアハカという内陸の都市でアメリカ本土から自動車に乗ってやってきたカメラの松村君と合流し、そのあとは二人で旅行した。メキシコに住んでいる両親を訪れていたアルフレッド・バーンバウムも十日ばかりそこに加わった。アルフレッドは流暢《りゅうちょう》なスペイン語を話したので、僕としては大変にありがたかった。

でもとにかく最初の十日間はひとり旅だった。考えてみれば、リュックをかついでひとり旅をするなんていうのは、実に久しぶりのことである。学生時代はいつもこういう旅行をしていた。結婚してからも、女房と二人でよくリュックをかついで旅行した。でもある日、女房は僕に宣言した。もう私もトシだし、もうこれ以上こういう旅行はできないし、したくない。私はこれからはきちんとしたホテル（シャワーのお湯が出て、ちゃんとトイレの水が流れて、ノミやシラミのいないまともな毛布が敷いてあるホテルのこと）に泊まりたいし、十キロのリュックを背負ってバスの停留所から鉄道駅まで歩くのは嫌だ、なにしろ私の体重は四十二キロしかないのだから、と。まあたしかに彼女の言うことはもっともである。僕らはそういう旅行をするにはいささか年をとりすぎた。そして貧乏旅行をする意味もなくなってしまった。昔と違って、何も金がないわけではないのだから。

それ以来、我々はリュックではなくサムソナイトのスーツケースを持ち、ミッドサイズのレンタカーを借り、悪くないホテルに泊まって、悪くないレストランで食事をして、ポーターやウェイトレスには多めのチップを払う、という世間一般の旅行をするようになった。トラヴェル・ガイドもスパルタンな学生向きの『レッツゴー』シリーズをお払い箱にして、たとえばミシュランのようなもう少し一般的な本を手にするようになった。こういうのは人生の大転換と言えなくもない。堕落、とあなたは言うかもしれない。でもいずれにせよ四十歳を越えて、少なくとも旅行をする様式に関していえば、我々はいちおう成熟した大人になったのだ。

しかし今回、僕は初めの十日間だけはリュックをかついだ昔ながらの貧乏旅行をすることになった。プエルト・バヤルタの空港に下りたって、リュックを肩にかけたときには、正直に言って「うん、これだよ、この感じなんだ」と思った。そこにはたしかに自由の感覚があった。それは自分というひとつの立場からの自由であり、ひとつの役割からの自由であり、クロノロジカルに成立している僕自身からの自由である。そういった自由の感覚が、肩にかついだリュックの重みの中にこめられている。見渡すかぎり、ここには僕を知っている人は誰もいない。僕が知っている人も誰もいない。僕の持っているものはみんなリュックの中に収まっているし、僕が自分の所有物と呼べるのは、ただそれだけだ。

僕は旅行のあいだに聴くつもりで新しく買ったウォークマンと、何本かのテープを持ってきた。何冊かの本も持ってきた。メキシコを旅行しながらどんな音楽が聴きたくなるか見当もつかなかったから、ありとあらゆるジャンルの中から目についた適当なテープをリュックの中につっこんできた。B-52'Sも持ってきたし、クラレンス・カーターも持ってきたし、スタン・ゲッツも持ってきたし、セロニアス・モンクも持ってきたし、キャスリーン・バトルのモーツァルトも持ってきたし、バッハの平均律も持ってきたし、サザンも井上陽水も持ってきた。でもその中でいちばんよく聴いたのは、なんといってもCDから九十分テープに編集したリック・ネルソンのベスト・アルバムだった。メキシコを旅行しながらリック・ネルソンの古い歌を聴いていたことで僕を非難したりしないでほしい。やっぱりムラカミは思想性のない後ろ向きレトロ趣味の作家だとか、そういう風にも思わないでほしい（ひょっとしたらあるいはそうなのかもしれないけれど、この文章に関連してそういう風には思わないでほしい、ということです）。僕がずっとリック・ネルソンのテープを聴いていたのは、実をいえば旅行のあいだずっとリック・ネルソンの伝記を読んでいたからだった。

メキシコ旅行とはほとんど何の関係もないけれど、これはとても面白い本で（Philip Bashe *"Teenage Idol, Travelin' Man; The Complete Biography of Rick Nelson"* Hyperion）、けっこう夢中になって読んでしまった。ご存じのように——といってもご存じないかもしれないけれど——リック・ネルソンは人気テレビ番組『陽気なネルソン』（日本でも日曜日のお昼にＮＨＫでやっていた）の子役として物心ついたときから全国的な人気ものであり、歌を歌うようになってからはエルヴィス・プレスリーに迫るスーパー人気歌手になった。でも彼は自分がただのハンサムなアイドル歌手として捉えられることに常に不満を抱き、真剣に音楽的キャリアを追求し続けた。ビートルズの出現と前後して、一九六〇年代の中頃に起こった音楽的トレンドの急激な変化によって人気が凋落《ちょうらく》したあとも、リックは自分なりの新しいレパートリーを黙々と追求し、懐《なつ》メロ歌手として人前に立つことを激しく拒否した。そしてそのためにマディソン・スクエア・ガーデンでのコンサートでは数万人の観客の罵倒《ばとう》を浴びることになった。昔のヒット曲を歌うことをかたくなに拒否したためだ。しかしそのような目にあっても、彼は妥協というものをしなかった。彼はそんな熱い思いを託して『ガーデン・パーティー』という曲を書いた。リックはその中でこう歌った。「もし思い出の他に歌うものがないのなら、僕はトラックの運転手にでもなるさ（If memories were all I sang, I'd rather drive a truck）」と。『ガーデン・パーティー』はミリオン・セラーとなり、リック・ネルソンは見事に復活を遂げた。

でも復活はしたものの、それで何もかもが劇的にハッピーエンドというわけにはいかなかった。実際の人生はハリウッド映画とは違う。実際の人生というのはうんざりするようなアンチ・クライマックスの連続なのだ。リックはその後離婚問題や、それにともなう金銭のごたごたで神経をすり減らし、最後には飛行機の事故で死ぬことになる。生前彼は友人にこう言った、「こういう死に方だけはしたくないという死に方がふたつある。それは飛行機事故と火事だ」。でも彼は自家用飛行機で移動しているあいだに、機内で起きた火災で焼け死んだ。死んだとき、彼には借金しか残っていなかった。

というような本を、僕はメキシコを旅しながら読んでいた。そして気の毒なリック・

ネルソンがまだぜんぜん気の毒ではなかった頃に歌っていた数々のイノセントなヒット曲に耳を澄ませていた。

でも、バスでメキシコを旅しながら音楽を聴くのはそれほど簡単なことではない。メキシコのバスには静寂というものが存在しないからだ。そこにはまず間違いなくメキシコ音楽がかかっている。それも生半可な音量ではない。大音量で鳴り響いているのだ。だからウォークマンのイヤフォンをどれだけしっかりと耳の中にもぐり込ませても、僕が聴こうとする音楽の中に、メキシコ音楽が否応《いやおう》なく混じってくることになる。最初のうちはそれでも努力して「僕の音楽」に意識を集中させていたのだが、途中でそんな努力も放棄してしまうことになった。そして海岸で寝ころんでいるときや、歩いて移動しているときにだけ、テープを聴くようになった。

これは僕にとっては大きな誤算だった。というのは、一日五時間、六時間にも及ぶバスによる移動時間に、のんびりと好きな音楽を聴いていようと計画していたからだ。そうすれば長いバスの旅も耐えやすいものになるに違いない、と僕は考えていた。しごく楽観的に。でもそのような目論見《もくろみ》はあっというまにこなごなに踏みつぶされてしまった。その五時間だか六時間だかのあいだに僕の耳に入ってくるのは、ちゃんちゃかちゃんち

ゃかちゃんちゃかちゃかちゃかちゃか、テキエーロ、ミアモール、ちゃんちゃかちゃかちゃか、というあの果てしなきメキシコ歌謡曲ということにあいなったのだ。それもまあいいじゃないかとあなたは言うかもしれない。郷に入れば郷に従えというではないですか、その土地の音楽をそこにあるものとして素直に楽しめばいいでしょう、と。そりゃまあたしかにそうかもしれない。僕だってはじめのうちはそう思おうとした。しかし僕は言いたいのだけれど、一日に六時間もわけのわからないメキシコ歌謡曲を聴かされたら、まともな人間なら誰だって頭がおかしくなる。たとえば新幹線で東京から広島に移動するあいだずっとぶっとおしで、大音量で演歌を（あるいは『ベスト・オブ・クイーン』を）車内放送されたとしたらあなただっていいかげんうんざりしてくると思いませんか？　すくなくとも僕はうんざりしてくる。もしそんなことになったら、新幹線になんか絶対に乗らない。

メキシコで、ある地点から別の地点に移動しようとする人間にとっての致命的な問題は、バス以外に移動手段の選択肢がほとんどないことである。鉄道は限られたところしか走っていないし、安全や時間の正確さにかなり問題がある。だからバスに乗るしかないし、そして——これはずっとバスでメキシコを旅行した実感なのだが——ちゃんとバスに乗れただけでも幸せだと思わなくてはならないのだ。そんなわけで僕は毎日毎日、否応なしにメキシコ歌謡曲を聴かされることになった。そこには選択肢などというものは影もかたちも見えなかった。僕はバスに乗るたびに、そのカー・ステレオが故障していることを天に祈った。仏陀《ぶつだ》にだって、聖母マリアにだって、ケツァルコアトル（というのはメキシコの古い神様だ）にだって、何にだって祈っていいと思った。でもカー・ステレオは絶対に故障していなかった。これは――これも声を大にして言いたいのだけれど――メキシコにおいては奇蹟《きせき》的なことである。メキシコではいろんなものが常に故障している。僕の乗ったバスでも本当にいろんなものが故障していた。あるバスでは冷房が故障していた――暑くて暑くて気が遠くなりそうだった。あるバスでは座席がリクライニングになったきり戻らなくて、僕は歯医者で治療を受けているような不安定な恰《かっ》好《こう》を何時間も続けていなくてはならなかった。どうしても窓が開かなかった、あるいは閉まらなかった。あるバスでは故障していないものがほとんどないくらいだった。クラクションは鳴らないし、ドアは閉まらないし、メーターはひとつも機能していなかった。これは誇張ではない。本当に速度計も、燃料計も、みんなばったりと見事に死んでいたのだ。でもカー・ステレオだけは元気に鳴っていた。ひどい音でほとんど歌詞は聞き取れなかったけれど、それでも音楽だけは鳴っていた。それを見たときに僕もとうとう諦《あきら》めた。この奇妙な国では、あらゆる機械が死んだとしても、あらゆる理想やら革命やらが死んだとしても、何かしらの奇妙な理由によって、カー・ステレオだけは死なないのだ。

　そして僕はすべての望みを捨て、メキシコ歌謡曲を「そこにあるもの」として受け入れるようになった。埃《ほこり》っぽい空気や、執拗《しつよう》な蚊や、石みたいに大きくて重い硬貨（それはあらゆる財布とポケットを破壊することになる）や、インディオの物売りや、食中毒と同じように。

　何かしらの奇妙な理由によってメキシコのバスのカー・ステレオは死なない、と書いた。でもこれは言葉のあやのようなものであって、メキシコのバスのカー・ステレオが死なないのにはそれなりの明確な理由がある。それは、メキシコ人の運転手と車掌が、何よりも深くメキシコ歌謡曲を愛しているからである。たとえなにごとが起ころうと、彼らはカー・ステレオだけは生かしておくのだ。おそらく考え得るかぎりの手だてを用い、あらゆる犠牲をはらって。彼らのあるものはバスに乗るときに、アタッシェ・ケースのようなものを大事そうに抱えている。初めのうちは僕は何か業務に必要な大事なものなのだろうと考えていたのだけれど、あとになってそれがカセット・テープを入れるキャリング・ケースであることが判明した。彼らはテープが終わるたびに、そこからすごく大事そうに次のテープを出してきて、カセット・デッキに差し込むのだ。ケースの中にはたぶん二十本から三十本くらいのカセット・テープが収められていたと思う。彼らはたぶん一日だって二日だって、一刻の休みもなく、ぶっとおしで音楽を聴いていられるのだろう。僕も音楽を聴くのは好きだけれど、それほどの熱情はない。たまには沈黙を必要とする。でもこの人たちにとっては、沈黙というのは、メキシコ歌謡曲によって埋められなくてはならない未完成な空白を意味するのだ。そんなわけで、メキシコのあらゆる白壁がメッセージやら広告やらで塗りつぶされているのと同じくらい丹念に、メキシコの沈黙は華やかなメキシコ歌謡曲によって埋め尽くされることになる。

バスには様々な種類の人たちが乗り込んでくる。マチェテ（山刀）を持ったインディオの農民から、町に買い物に行った帰りのおばさんから、これからどこかの工事現場にでかけるらしい労務者から、荷物を担《かつ》いだ行商人から、何らかの理由によってA点からB点に向かって移動の過程にある親子連れまで。もっとも僕の移動したバス・ルートには、リュックをかついだ外国人旅行者の姿はまったくと言っていいくらい見当たらなかった。見当たらなかったのは、外国人の旅行者だけではない。それよりも少なかったのは、いわゆる中産階級に属するメキシコ人だった。僕の乗ったバスで、身なりのよいメキシコ人を見かけたことはただの一度しかなかった。インディオや、農民や、田舎のおじさん、おばさんに混じっていると、その紳士（というほどでもなくて普通の都市生活者という感じのひとなのだけれど）は、本当に特殊な人に見えた。僕はそれまでバスの中で出会うどちらかというと底辺に近い層のメキシコ人しか見ていなかったので、そこではじめて「ああ、メキシコというのは本当にはっきりとした身分社会なんだな」と視覚的に痛感することになった。その人はパナマ帽のようなものをかぶって、白っぽい上着を着て、ハードカバーの本を読んでいた。僕がでたらめなスペイン語で車掌と話をしていると、あいだに入って英語でちゃんと通訳してくれた（英語の話せることはメキシコではステイタス・シンボルなので、通訳に関してはみんな親切である）。三十分の昼休み休憩のときには、彼だけがレストランできちんとした魚料理を食べていた。みんなは（僕も含めて）ジュースを飲んで、パンだかポテト・チップスをぽりぽりとかじっているだけだった。

バスにはもっと剣呑《けんのん》な人々も乗り込んでくる。兵隊と警官である。クユトランという小さな海岸町（マンサニーヨという町の少し下にある）から、プラヤ・アスルというこれもまた小さな海岸町に向かうバスには、途中から四人の武装警官がどかどかと乗り込んできた。僕らが山の上にある「峠の茶屋」で二十分ばかり休憩して、冷たいものを飲んだりトイレに行ったりして、そろそろ出発しようかというときに、彼らは何の前触れもなくやってきた。警官たちはみんな背が高くて頑丈な体格をしており、よく日焼けしていた。髪を短く刈り上げ、濃いサングラスをかけ、防弾チョッキを着ていた。そして大きな自動拳銃《けんじゅう》を腰に下げ、ＡＫ47の自動小銃を抱えていた。彼らはそのへんにいる普通の町の警官とはぜんぜん種類の違う警官だった。彼らはいかにもタフで、いかにもよく訓練されているように見えた。その袖《そで》には「連邦警察」（だと思う）というマークがついていた。

　四人の警官のうちの二人は助手席と運転手のうしろの席に位置を占めた。それまで助手席に座っていた車掌は、うしろの席に追い払われた。あとのふたりはバスの真ん中あたりの席に、左右に分かれて座った。ひとりの警官は僕に向かって自動小銃の銃口をしゃくるようにして、あっちに行けと言った。彼はにこりともしなかった。「すみません」も「お願いします」もなかった。ただ自動小銃の銃口をちょっと上にあげただけだった。もちろん僕は言われたとおりその警官に席を譲って、荷物を持ってうしろの席にさがった。彼が僕の座っていた席を要求したのは、その席が窓越しに自動小銃の狙《ねら》いをつけやすいからだった。いったい何が起こったのか、何が起ころうとしているのか、僕には見当もつかなかった。

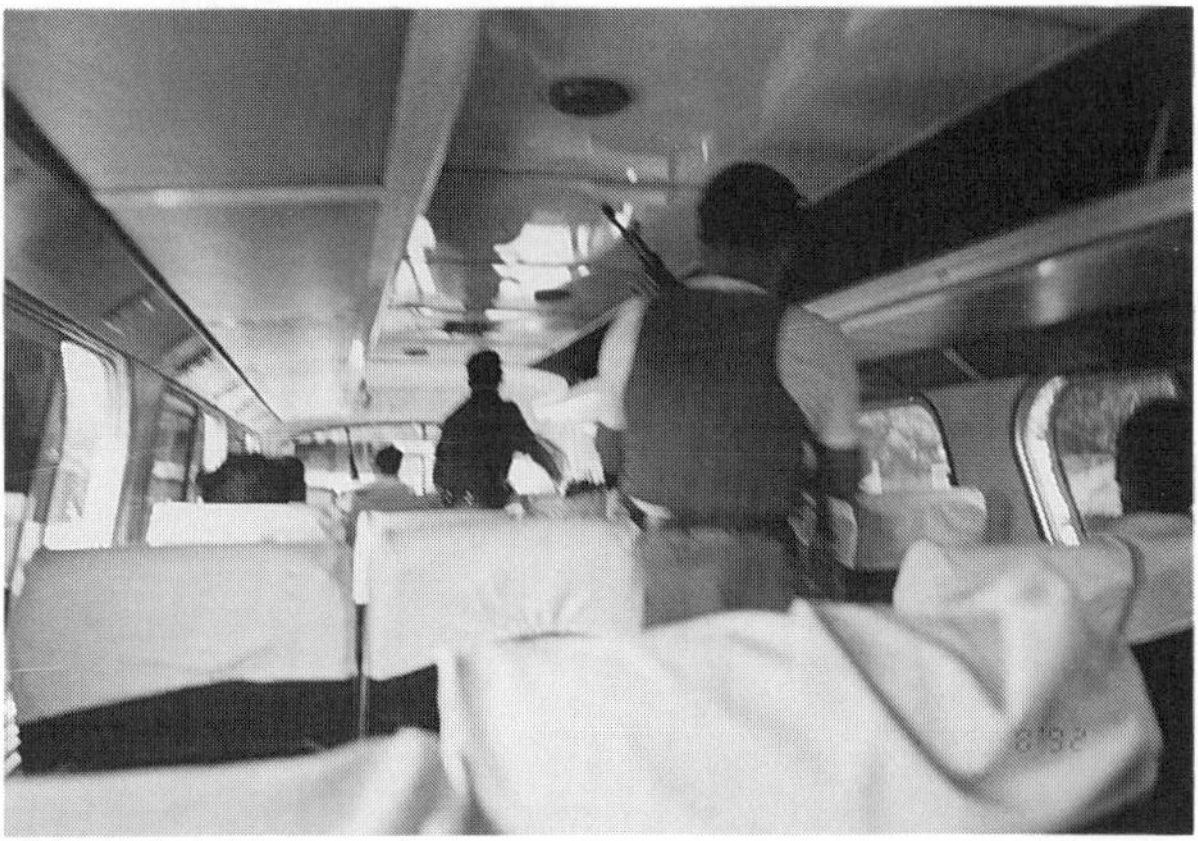

バスに乗り込んできた武装警官たち。
防弾チョッキを着ている。
こっそりとカメラのシャッターを押した。
(撮影=筆者)

車掌が僕のところにやってきて、「ひょっとして撃ち合いになるかもしれんから、もしそうなったらばたっと床に伏せるんだよ」と教えてくれた。僕のスペイン語はでためだけれど、こういうことになると不思議に明確に理解できる。「強盗か（バンディドス）？」と尋ねると、車掌は小さな声で「シ（そうだ）」と言った。「ここから百キロくらいはよく出るんだ」。要するに警官たちは武装してバスに乗り込み、バンディドスが襲撃してくるのを待ち受けているのである。その証拠に助手席に座っている警官は制服を脱いで白いTシャツだけになり、一目見て警官だとわからないようにしている。強盗団に待ち伏せを悟られないためだ。僕のひとつ前の席に座った若い警官は、バスがある地点を越えると（どうもそこには「ここからが危険」というはっきりとした境界線があるようだった）、自動小銃のマガジンをもう一度かしゃんと差し込み、ゆっくりと安全装置を外した。そしていつでも正確な銃撃に移れるように銃口を窓の外に向けた。これが体裁だけの任務でないことは、彼の顔を見ていればわかる。顔がいくらか青ざめ、それほど暑くもないのに、汗が次から次へと頬をつたっている。

参ったな、これは相当にマジだよな、と僕は思った。なるほどこれではまともな市民がバスに乗って旅行なんかしないわけだ。でも僕はメキシコに来るまでにいろんな旅行案内書を読んだのだけれど、太平洋岸の道路では武装強盗団がかなり頻繁に出没しますなんて、どこにも書いてなかった。たしかに「盗難事件は頻繁に起こりますから、大事な荷物はいつも身のまわりから離さずにいてください」というようなことは書いてあった。でも武装強盗団というようなものについての記述は見かけなかったし、銃撃戦に巻き込まれる可能性についてもまったく触れられていなかった。

バスは海岸に沿って険しい山道を進んでいく。このあたりからだんだん風景は熱帯の雰囲気を帯びてくる。道の両側には『地獄の黙示録』に出てきたような椰子《やし》の木の畑が続き、そのあいだにバナナの畑も見える。道路の幅は細くなり、曲がりくねってくる。ときどきインディオの部落が見える他には、人の姿はほとんど見えない。出会う人々は、マルボロの広告みたいにみんな帽子をかぶって馬に乗っている。メキシコといえばソンブレロを思い浮かべるけれど、みやげ物屋以外でソンブレロを見かけることはまずない。みんなマルボロ風のかたちをした帽子をかぶっている。そして何人かは腰に例によってマチェテ（山刀）をさげている。バンディドスが出没するにはまずうってつけの土地であるように思える。人けはない。どこにでも隠れることができる。

メキシコを舞台にしたD・H・ロレンスの『翼ある蛇』（これはやはり『羽毛のある蛇』と訳すほうが正確だと思うのだけれど）の中で、メキシコ人の強盗にマチェテで切り殺されるドイツ系メキシコ人の話があって、僕はそのシーンのことを一瞬思い出した。

ザクッ！　ザクッ！　ザクッ！　死の渇望《かつぼう》をみなぎらせて、蛮刀《マチエテ》を人間の肉体へ斬《き》りこむ音がきこえ、それからホセの異様な声がきこえた。「ゆるしてくれ！――ゆるしてくれ！」倒れながら叫んで、ホセは殺されていた。

（宮西豊逸訳・角川文庫）

マチェテで切り殺されるのが気持ちの良い死に方でないことは、たぶんリック・ネルソンだって同意してくれるにちがいない。

でも結局のところ、強盗団は出てこなかった。そしてその百キロが終わると、警官たちはバスを止めて下りた。僕の前にいた警官はふうっと大きな息をつき、ＡＫ47の安全装置をロックし、顔の汗を拭《ふ》いた。彼にとっても、僕にとっても、それは長い百キロだったのだ。警官たちが下りたところには二台の連邦警察のパトカーがとめてあった。たぶん彼らはそこから同じように別のバスに乗って「峠の茶屋」まで行き、「峠の茶屋」から僕らのバスに乗ってそこまで戻ってきたのだろう。警官たちが下りてしまうと、バスの中にはほっとした空気が漂った。警官たちがいるあいだは、誰もあまり話をしなかった。音楽もさすがに小さくなった。

その何日かあとで乗った、シワタネホからアカプルコに向かうバスの窓からは、死体を——あるいは死体にきわめて近いかたちをしたものを——目にすることになった。一等バスだったのだが、バスの冷房装置が故障していて、おまけに僕の後ろの席で昼ご飯にエンチラーダを食べた小さな女の子がそれをそっくり吐いてしまっていたものだから、僕はしかたなく窓をあけて、外の風景を見るともなくぼんやりと見ていた。バスの左側をピックアップ・トラックが追い越していった。ピックアップ・トラックの荷台には四人の男たちが乗っているのが見えた。二人は作業帽のようなものをかぶって自動小銃(これはたぶんアメリカ製のM16だったと思う)を空中に立てて、荷台の両側に座っていた。自動小銃の黒い銃身が、太陽にぎらっと鈍く光っていた。あとの二人は、その自動小銃を持った男たちにはさまれるようにして、荷台にあおむけに、まるで陸揚げされたカジキマグロみたいな恰好でごろんと寝ころんでいた。そのふたりはどちらも上半身が裸だった。そしてしっかりと目を閉じたまま身動きひとつしなかった。あるいは彼らは熟睡していたのかもしれない。でもそれは焼けつくように暑い夏の午後のことだった。空には雲ひとつなく、目に見えるすべての生物が、暑さのために意識を失って昏睡《こんすい》しているように見えた。そんなところで気楽に熟睡なんてできるわけがない。そんなことをしていたらひどい火脹《ぶく》れができてしまうはずだ。

そのピックアップ・トラックが僕の乗ったバスを追い抜いていく十秒だか二十秒だかのあいだ、僕は文字通り目を皿のようにしてじっと彼ら四人の姿を見ていたのだが、僕の目にはその荷台に寝ころんだ二人の若い男たちは、ついさっき死んだばかりの人間の死体のようにしか映らなかった。その姿勢や、表情や、その雰囲気には、意識のしるしのようなものはまったく見受けられなかった。もし彼らが逮捕された「生きている」犯罪者であったとしたら、暴れたり逃げたりしないように手錠をかけられていたはずだし、もし彼らが犯罪者でなかったとしたら、目玉焼きでも作れそうな炎天下のトラックの荷台でのんびりと日光浴なんかしている必然性はない。もちろんそばに行ってはっきりとたしかめたわけではないから、それが死体であったという確証はないのだけれど。

あまりにも突然のことだったから、僕はただ呆然《ぼうぜん》としてそのピックアップ・トラックが消えていくのを見ていた。そしてそのあと長いあいだ「いったいあれは何だったんだろう」と頭をひねりつづけていた。だってシワタネホとアカプルコといえば、メキシコでもいちばん有名な、そしていちばん華やかな観光地なのだ。

あとで聞いた話によると（こういう話はだいたいあとで聞くことになるわけだけれ

ど）、シワタネホやアカプルコのあるゲレロ州は一九七〇年代にはゲリラの巣として有名であったところで、それを鎮圧するために数万の軍隊が投入されることになった。そして政治的騒擾《そうじょう》状態がなんとか収まった今でも、このあたりでは騒動の余波がいまだに続いているらしい。ハイウェイ沿いには数多くのチェック・ポイントがあり、そこかしこに警官や兵隊の姿が見える。彼らはみんな自動小銃を持っている。トラックの荷台に乗った警官隊としょっちゅうすれ違う。いたるところに軍隊の駐屯地がある。アカプルコからプエルト・エスコンディドに向かうバスでは、乗車の際に金属探知器でチェックされる。少し大きな手荷物は車内には持ち込めない。それについて文句を言ったドイツ人の旅行者はかなり手荒く扱われ、かんかんに怒っていた。人々はアカプルコから一歩足を踏みだすと、とたんに荒々しい〈現実〉に直面させられることになる。メキシコを訪れる外国人たちは、シワタネホやイスタパやアカプルコのホテルに泊まってしかるべく金を使っているかぎり、ゲストとして穏やかに扱われる。でも人工的に作り上げられたそれら熱帯の楽園の外には、見渡すかぎりの〈現実〉の荒地が広がっている。

　アカプルコはどちらかといえば悲しい街だ。海はお話にならないくらい汚れている。写真とはぜんぜん違う。泳いでいるとすぐにごみにぶつかる。いたるところにポテト・チップスの袋やら、新聞紙やら、ポリ容器やら、その他わけのわからないものがぷかぷかと浮かんでいる。ホテル代は唖然《あぜん》とするくらい高い。そしてそのプールの水面にはサンタン・オイルの油がぎらぎらと浮いている。プールのとなりでは物哀《ものがな》しいカラオケ大会がおこなわれ、顔色の悪い痩《や》せたメキシコ人の司会者ががなりたてている、「さて、次は……から見えた……さんが……を歌います」。街路はタクシーであふれ、彼らは道を歩いている外国人の姿を見かけると必ずクラクションを鳴らす。物価は高く、店の売り子は極端に愛想が悪い。いささか擦り切れはじめた幻想、それがアカプルコに対して抱いた僕の印象である。

もちろんそんな僕の印象はあるいは一面的なものであり、間違ったものであるかもしれない。僕は自分の抱いた印象をそのまま、「アカプルコというのはこういうところなんですよ」と他人に押しつけるつもりはない。僕はそのような目的のもとにこの文章を書いているわけではない。正直に告白するなら、僕は確固としたというよりはむしろあやふやな人間であり、恒久的というよりはむしろ一時的な人間であり、正確というよりはむしろ不正確な人間である。そしてこれはあくまで「僕の旅行」であって、「あなたの旅行」ではない。僕には何かをあなたに押しつける権利も資格もない。それに、いつ、どんな角度から見るかによって、ものごとの印象というのはがらりと違ってしまうものなのだ。アカプルコは本当にすばらしいところだった、あんなに素敵な場所はほかにない、という印象を抱いて帰っていく人々がいたとしても（もちろん沢山いるはずだ。だからこそ、毎年毎年何十万という数の観光客がそこに押し寄せるのだから）、それはそれでまっとうなことである。そういう人々が間違っているとは、僕は思わない。人々はそれぞれの幻想を求めてどこかに行き、それを手に入れるのだ。彼らはそのためにかなりの額の金を使い、休暇を費やす。それは彼ら自身の金であり、彼ら自身の時間である。だから彼らにはそれを手に入れる正当な権利があるのだ。

でもたまたま陸づたいにそこまでバスでやってきて、陸づたいにバスでそこから出ていった僕のような人間の目には、残念ながらアカプルコという都会は擦り切れはじめた幻想のようにしか映らなかった。あるいは、そのような幻想がどのような種類のものによって構造的に支えられているのかを、それまでの道程でかなりありありと目撃してしまったからかもしれない。アカプルコやシワタネホやイスタパや、あるいはカンクンやカリブの島々、それらはメキシコの提供する幻想であり「点」である。でもそれらの点と点のあいだを「線」でたどろうとするとき、我々は否応《いやおう》なしに現実に直面することになる。そしてそれらの幻想と現実との差異は、この国においてはかなり——ある場合においては致命的に——大きなものである。

もちろん僕だって僕なりの幻想を求めて旅行をしている。幻想なしに旅行する人間なんて、たぶんどこにもいないだろう。でも僕の求めている種類の幻想は、アカプルコでは手に入らなかった。要するにまあ、それだけのことなのだけれど。

アカプルコでは例の「死のダイビング」を見物した。とくにそんなものを見ようというつもりもなかったのだけれど、たまたま僕はラ・ケブラダの丘の上のホテルに泊まっていて（海岸沿いのホテルがあまりにも高かったので、暑い中をえんえんと坂道を登って、ようやく手頃な値段のホテルをみつけることができたのだ）、海に面した近くの公園でビールを飲みながら夕涼みをしていたら、ちょうど目の前でダイビングが始まってしまった。だから僕は偶然とはいえ、いちばん良い席でダイビングを見物する羽目になったわけだ。僕はたしかずっと昔にエルヴィス・プレスリーの映画でこの飛び込みを見た。映画の原題は"*Fun in Acapulco*"だった。邦題はたしか『アカプルコの海』だっけ。その中に、この飛び込みシーンが出てきたのだ。映画が公開されたのは僕がまだ中学生の頃で、その中でエルヴィスは『ボサ・ノヴァ・ベイビー』を歌っていた。でも、題は『ボサ・ノヴァ・ベイビー』だけれど、曲のリズムはぜんぜんボサノヴァなんかじゃなかった。それはサンバとマリアッチを一緒くたにしたようないいかげんな代物《しろもの》だった。映画そのものも――もうぜんぜん筋なんか覚えてはいないけれど――まったくお気楽な代物だった。まあそれはそれとして、とにかく僕はその映画の中で死のダイビングというものを初めて目にしたわけだ。

そして正直に言うなら、実際にラ・ケブラダの丘の上で（たまたま成り行きで）見物したその「死のダイビング」には、僕がエルヴィス・プレスリーの映画を見て理解した以上のものはほとんど何も含まれてなかった。それは映画のシーンと何ひとつ変わらなかった。「なるほど、映画と同じなんだな」と思っただけだった。要するに、僕は三十年近く前に神戸の映画館のスクリーン上で目にしたものを、メキシコまでやってきてもう一度あらためて現実でなぞった、というだけのことだったのだ。なんだか順序が逆みたいな気もするけれど、本当にそういうことだったのだ。そこにはとくに感動もなく、とくに驚きもなかった。「なるほど、ほんものというのはたしかに迫力があるな」とも思わなかったし、「なんだ、これなら映画のほうがスリリングで良かったな」とも思わなかった。「やっぱり映画と同じなんだな」と思っただけのことだった。そう思うと、今僕がここにいるということ（夕暮れの風に吹かれながら、ドス・エキスを飲み、「死のダイビング」を見物していること）自体が現実でありながら、現実ではないようにさえ思えた。そこに突然エルヴィスが現われて、「ボオオオッサ・ノオオヴァ……」と歌い始めても不思議はないなと僕はずっと感じていた。それはなんというか、きちんと丁寧になぞられるべき種類の幻想なのだ。僕はなにもそのイヴェントがただの月並みな観光地の見せ物であると言っているわけではない。そこにはもちろん予期せざる危険がある。そしてダイバーには並外れた肉体の力と、多大なる勇気と、冷静にして沈着な計算が要求される。でも心の底で僕はこう考えていた。〈失敗するわけはない、映画でだってうまくいったんだもの〉と。そしてここに集まっている人たちの多くも、多かれ少なかれやはり同じようなことを感じているのではないだろうか、と僕は思った。

ただひとつ映画と違うことがあった。あるいは、映画ではわからないこともあった。一回のショーで崖《がけ》の上から飛び込むダイバーの数は一人ではなくて三人である。いろんな場所から三人のダイバーが、時間を置いて順番に遥《はる》か眼下の海に飛び込む。たぶん一人だけでは間がもたないからだろうと思う。なにしろ飛び込みそのものはあっという間に終わってしまうから。そしてその三人が全部飛び込み終わったことを確認して、僕らはぞろぞろとその公園を引き上げる。このぞろぞろという感じは「面白いことはたしかに面白かったけれど、筋も結末もだいたいまあ予想通り」というタイプの映画（たとえば『007』シリーズとか『ロッキー』とか）を見終わって映画館を出ていく観客のそれによく似ている。

でも僕らがその公園を引き上げる頃には、はじめに飛び込んだ二人のダイバーが既に海からあがってきていて、まだ体から水滴をしたたらせながら出口のあたりでみんなに挨拶《あいさつ》し、一緒に記念写真なんかを撮らせてくれるのである。彼らはにこにことして、とても愛想がいい。サービス精神に富んでいる。ダイバーたちの姿をすぐ間近に見て、僕がいちばんびっくりしたというか、いちばん意外だったのは、彼らがそのへんのどこにでもいる普通のメキシコ人の青年であるという事実だった。

水泳パンツ一枚で照明に照らしだされて、聖母マリアの祭壇に祈りをささげ、あるいは崖っぷちに立って体をまっすぐに伸ばし、精神を統一するべくじっと虚空《こくう》を睨《にら》んでいる彼らの姿を、僕らはそれまで向かい側の公園からじっと見ていた。遠くから眺めていると、彼らは僕らとはまったく違った種類の存在であるように見える。彼らは激しい訓練によって鍛え上げられたヒーローであり、僕らとは異なった世界に属する人間であるように見える。彼らはある種の敬虔《けいけん》さを全身に漂わせている。彼らは古代アステカの神に人身御供《ひとみごくう》として捧《ささ》げられる直前の、勇敢な兵士の姿をさえ想起させた。たしかにこれは観光客相手の見せ物のひとつかもしれない。しかしそれはそれとして、崖っぷちに立って、飛び込みに備えて精神を集中し、呼吸を整えていたダイバーたちの姿には、否定しがたい光輝のようなものが見受けられた。彼らの浅黒い肌は投光機の光をぎらりと反射し、その筋肉は鋼《はがね》のように固く締まり、背はすらりと高く見える。

でもこうしてここで観光客たちと記念写真に収まっている彼らからは、そういう輝きは失われてしまっている。実際の彼らは僕とそれほど変わりのない背丈だし、顔つきだってすぐとなりでアイスクリームを売っているお兄ちゃんと見分けがつかない。結局のところ、彼らは観光産業の中でひとつの与えられた役割をきちんと律儀《りちぎ》に果たしている、ごく普通の若者にすぎないのだ。一日に三回か四回、彼らは崖の上から海面に向けて飛び込み、それに対してしかるべき報酬を受けている観光産業関連労働者にすぎないのだ。

でもダイバーたちの実際の姿を間近に見て、それで僕ががっかりしたというのではない。ただそのときふとこう思っただけだ、「こういうのは映画には出てこないな」と。

そういうのはたしかに映画には出てこない。映画というのは現実の一貫性よりは、幻想の一貫性を求めるものだからだ。でもあとになってアカプルコのダイビングのことを思い出すとき、僕はたぶんそのあまりぱっとしない現実のほうのダイバーたちの顔を思い出すことになるだろうなと思った。アンチ・クライマックス的な頼りない微笑を浮かべつつ、濡《ぬ》れたからだのままで観光客と一緒に記念写真に収まっていた（そしていくばくかのチップを得ていた）、肉体労働者としての「死のダイバー」たちのことを。

予想されていたこととはいえ、メキシコでは何度か食あたりをした。

メキシコに行くと言ったら、みんなが僕に飲み水と食あたりのことを忠告してくれた。「なにがあっても水だけは飲んではいけない」と全員が口を揃《そろ》えて言った。「歯を磨くときも、必ずミネラル・ウォーターで磨きなさい。歯ブラシを洗うのもミネラル・ウォーターで洗いなさい」と。最初のうち僕はこまめにそれを実行していたのだが、途中でさすがに面倒臭くなったので、歯磨きに関しては水道の水を使うようになった。どうでもいいや、これでお腹《なか》をこわすんならこわせばいい、と開き直ってみたのだが、幸いなことに僕の場合なんとか無事だった。もちろん飲み水だけはミネラル・ウォーターにしていたけれど。

でも食中毒には参った。ごく普通に普通のものを食べていても、いつかは食あたりするのだ。これはどちらかというと、ロシアン・ルーレットに似ている。気をつけてそれでどうなるというような代物ではない。いくら注意を払っていても当たるときには当たるし、どれだけいい加減なものを食べていたって、当たらないときには当たらない。一度は、海岸の「海の家」風レストランで海老《えび》のフライを食べたあとに（なかなかおいしかったんだけど）やってきた。もう一度はうらぶれたホテルの食堂で夕食を食べたあとで（これはまずかった）やってきた。あとになって考えると、こちらはどうもつけあわせのマカロニ・サラダに問題があったようだ。たぶんこのような食あたりの原因は単なる衛生管理の問題だろうと思われる。だから観光地の一流ホテルに泊まって、一流のレストランで食事をしていれば、食あたりの問題はたぶんおこらないと思う。しかしそういう観光地を一歩離れると、あとはもう運を天にまかせるしかない。

食あたりになると、嘔吐《おうと》と下痢がやってくる。同時にやってくる。嘔吐と下痢とどちらが苦しいかときかれても困る。そのうちに嘔吐と下痢の見分けがつかなくなってくるくらい、どちらもきついのだ。これがだいたい断続的に六時間くらい続く。そのあいだ、ほとんど起き上がることができない。抗生物質のようなものを飲むのだが、たいした効果はない。ただ吐いて、ただ下痢をして、ただ横になっているだけである。最後には吐くのにも、下痢をするのにも、横になっているのにも、ほとほとうんざりしてくる。このまま意識を失って死んでしまうのではないかという気さえしてくる。「やれやれ、こんなろくでもないメキシコのホテルの、ろくでもないベッドの上で、海老のフライだか、マカロニ・サラダだかを食べたせいで死にたくなんかないな」と思う。そういえばレイモンド・チャンドラーの『長いお別れ』の中で、テリー・レノックスはうらぶれたメキシコの町のうらぶれたホテルの一室で死んだ——死んだことになっていた。でも彼にはその死を悼《いた》んでくれる友人がいた。彼のためにギムレットを飲んでくれる友人がいた。

僕の場合はそうはいかない。僕が死んだらきっとみんなは陰でこう言うだろう。「ムラカミ・ハルキもなんでわざわざメキシコなんかに行ったんでしょうね。ほら、メキシコって、あの人にはなんとなくそぐわないじゃないですか。とくに何か、メキシコに行かなくてはならないような理由があったんですかね。よくわかりませんね。でも、それにしても、マカロニ・サラダを食べて、下痢しながら死ぬなんて、まったくみっともない死に方ですね。おまけに下痢しながら吐いていたっていうじゃありませんか。人間、そういう死に方をしたらもうお終《しま》いですね。死に方というのはやはり大事ですよ」

でもまあどれほど苦しくても、時間がたてばなんとか体は回復するものだし、回復したらまた旅行を続け、そうこうするうちにまた何かろくでもないものを食べて食中毒にかかることになる。あるいは何カ月かそういう旅行をしているうちに、体もだんだん丈夫になって、ちょっとやそっとのことでは食中毒なんかしないようになるだろうとは思う。でも残念ながら僕はそれほど暇ではないので、メキシコ向きの抗体が出来上がる前に国境の北に戻ってくることになった。

十日間、理不尽な食中毒やら、絶え間のないメキシコ歌謡曲やら、自動小銃を抱えた真剣な人々やら、冷房の故障したバスやら、いくら蹴飛《けと》ばしても（僕は本当に真剣に蹴飛ばしたのだ）うんともすんとも感じない象のようにあつかましい割り込みおばさんに耐えながら一人でメキシコを旅行してみてあらためてつくづく感じたことは、旅行というのは根本的に疲れるものなんだということだった。これは僕が数多くの旅行をしたのちに体得した絶対的真理である。旅行は疲れるものであり、疲れない旅行は旅行ではない。延々とつづくアンチ・クライマックス、予想はずれ、見込み違いの数々。シャワーの生ぬるい湯（あるいは生ぬるくさえない湯）、軋《きし》むベッド、絶対に軋まない死後硬直的ベッド、どこからともなく次々に湧《わ》きだしてくる飢えた蚊、水の流れないトイレ、水の止まらないトイレ、不快なウェイトレス。日を重ねるごとにうずたかく積もっていく疲労感。そして次々に紛失していく持ち物。それが旅行なのだ。

紛失していく持ち物……。

実際の話、この旅行のあいだに、僕は本当に本当にいろんなものをなくした。どこからどこかに移動するたびに、次から次へといろんなものが姿を消していった。僕はホテルの部屋を引き払うときに、何か忘れ物がないかときちんとチェックする。机の引き出し（そんなものがあるとしての話だが）、洗面所、ベッドの上、僕はそれらの場所をひとつひとつ点検する。狭い部屋だから、見逃しようはない。そして何も忘れ物はないことを確認してから、ホテルをチェックアウトする。それでもものはどんどんなくなりつづけた。次のホテルに行ってバッグを開け、何かを探す。でもそれはそこにはない。それはどこにもない。

ヘア・ブラシ、マイクロ・テープレコーダー（これは旅行の記録用のものだったので、大変に困った）、シェービング・クリーム、ブルージーンズ、ベルト（これも困った）、眼鏡（これも大変に困った）、眼鏡ケース、トラヴェラーズ・チェック六百ドル分（ありがたいことにアメリカン・エクスプレスのオフィスが翌日再発行してくれた）、ポケット計算機、ノート、地図、小銭入れ、サンタン・オイル、ボールペン三本、アーミーナイフ……、そういうものがまるでそれぞれの寿命を終えて昇天していくみたいに、ひとつまたひとつと音もなく消えていくのだ。いつ、どのようにしてそれらがなくなったのか、僕にはまったく記憶がない。気がついたときには、それらはもう跡形もなく消えてしまっている。ふっと。もしそこに、誰かに盗まれたとか、あそこに忘れてきたとかいう自覚のようなものが少しでもあるのなら、まだ納得もいく。やれやれ参ったな、これからちゃんと気をつけよう、と思う。でも、いくつかの例外を別にすれば、そういう自覚すらほとんどない。それらはただただ単純に、まるで何かの法則性にのっとったみたいに、消え続けるだけなのだ。そしてある日、僕はあきらめた。すべての努力を放棄した。

もうどうでもいい、何だっていい、何をしようと何をするまいと、ものはどんどんなくなりつづけるのだ、と。

これは一種の悟りである。〈これがメキシコなのだ。これがメキシコにいることの意味なのだ。僕はそのような連続的紛失を、いうなれば自然の摂理として宿命として受け入れ、その重荷を黙々と背負っていかなくてはならないのだ〉

そのようにして僕は果てしなき事物の紛失を自然の摂理として宿命として受け入れ、ただただうるさいだけのメキシコ歌謡曲を受け入れ、八月の午後のとめどもない暑さを受け入れ、ロシアン・ルーレット的な嘔吐と下痢を受け入れていった。それらは僕を疲弊させ、うんざりさせた。でも考えてみれば——と僕はそのうちにふと思った——僕をしてそういう諦観《ていかん》にいたらしめるプロセスこそが、僕という人間を疲弊させるさまざまなものごとを、自然なるものとして黙々と受容していくようになる段階こそが、僕にとっての旅行の本質なのではあるまいか、と。

そういう考え方がかなり極端なものであることは認めざるをえない。何故《なぜ》なら疲弊などというものは、何もメキシコくんだりまで来なくったって、どこでだって手に入るからだ。東京でだって、ニュージャージーでだって簡単に手に入る。なのにどうしてお前はわざわざメキシコにまでそんなものを求めて来なくてはならないのだ。

でもその問いに対しては、僕は比較的明確な言葉で回答することができる。何故わざわざ僕はメキシコにまで疲弊を求めてやってこなくてはならないのか？「何故かといえば」と僕は答えるだろう、「そのような疲弊はメキシコでしか手に入らない種類の疲弊だからです。ここに来ないことには、ここに来てここの空気を吸って、ここの土地を足で踏まないことには手に入れることのできない種類の疲弊だからです。そしてそのような疲弊を重ねるごとに、僕は少しずつメキシコという国に近づいていくような気がするのです」と。変な話だとは思うのだけれど、ひとつものをなくすたびに、一度下痢をするたびに、ひとつバスに乗り遅れるたびに、ひとりのおばさんに列に割り込まれるたびに、僕の中にメキシコという国が一段階しみこんでいくような気がした。冗談抜きで。ドイツにはドイツの疲弊があるし、インドにはインドの疲弊があるし、ニュージャージーにはニュージャージーの疲弊がある。でもメキシコの疲弊は、メキシコでしか得られない種類の疲弊なのだ。

ひとつの疲弊によって別の疲弊を相対化すること、ひとつの疲弊によって別の疲弊を弁証法的に乗り越えること。それがウォークマンでリック・ネルソンの歌を聴きながら、僕がぼんやりと考えていたことだった。

これはまるで毛沢東の言葉みたいだな、と僕はふと思う。〈疲弊は疲弊によって乗り越えられなくてはならない。疲弊を乗り越えるものは疲弊以外のものであってはならない〉なんてね。

プエルト・エスコンディドからオアハカに向かうバスの中で（険しい山をいくつも越えるこの七時間の道のりはかなり好意的に表現して拷問《ごうもん》に近い）、よく日焼けした二十歳前後の日本人の青年に出会った。メキシコに来てから日本人に会ったのは初めてのことだったので、僕は彼と世間話のようなものをした。彼は学生で、語学研修のためにオアハカに滞在していたのだけれど、海に行きたくなって、一週間ばかりプエルト・エスコンディドのビーチで泳いでいたのだということだった。「このバスの中で寝ちゃいけませんよ」と彼は忠告してくれた。「高度がものすごく変化するから、眠ったりしたら耳がおかしくなってしまうんです」。彼は相当に貧乏な旅行者だった。帰りのバス代を払ってしまうともう百円くらいしか所持金が残っていなくて……と彼は言った。だから僕はオアハカの町についたときに、レストランで彼に昼ご飯をご馳走《ちそう》した。いや、実を言うと、もう二日くらいろくに飯を食べてないんです、と彼はうまそうに料理を食べながら打ち明けた。その青年の姿を見ていると、そういえば僕だって昔はこうだったんだな、という感慨のようなものに打たれることになった。もう二十年も昔のことだけれど、僕だってやはりこれと同じような旅行をしていた。ポケットの中にもう数百円しかなくて、二日くらいろくにものを食べられなくて、ゆきずりの誰かに食事をご馳走してもらったことがあった。でも今では、僕はもう誰かに食事をご馳走する側にまわっているのだ。

結局のところ、重いリュックを背負い、どれだけ汚い恰好《かっこう》をして、百円でも安いホテルを苦労して探してまわるような貧乏旅行をしていても、どれだけ暑さや、積もりゆく疲弊や、食あたりに苦しめられたとしても、僕がその青年のように切実に飢えることはおそらくもうないだろう。そしてこの旅行が終われば、僕にはちゃんと戻るところがある。そこには僕のための場所があり、役割があるのだ。でも昔はそうではなかった。旅に出て行き惑えば、そのまままずっと行き惑ってしまうかもしれないという、ある種の切羽詰まった心持ちがそこにはあったのだ。でもそれにもかかわらず、僕はその当時本当によく旅をした。朝目が覚めて、何処《どこ》かに行きたいと思ったら、そのまま家を出て長い旅をした。たぶん僕はそんな「行き惑いかねない」旅が僕に向かって差し出してくれる幻想のようなものを切実に求めていたのだと思う。そのようなものを僕は切実に必要としていたのだと思う。

あるいは僕は、今こうしてメキシコを旅している僕は、かつて十五年前だか二十年前だかに自分が抱いていたそのような種類の幻想を、もう一度きちんと丁寧になぞっているだけなのかもしれない。ちょうどラ・ケブラダのダイバーたちが、アカプルコを訪れる数十万の人々の幻想をなぞるために、来る日も来る日も一日に三回か四回、あの崖《がけ》の上から危険な飛び込みを続けているように。

そういう風に考えることは、切ないと言えなくもない。何故なら年をとればとるほど、そのような幻想の幻想性がより明確に認識されればされるほど、我々が差し出すものの量に対して、我々が受け取るものの量はだんだん少なくなってくるわけだから。そして僕らは僕らが抱え込む多くの疲弊に対して、比較的少量の幻想しか得られない——ということにもなってくる。これは長期的に服用している薬が、時間がたてばたつほどだんだん効かなくなってくるという現象に似ている。でもそこには、昔に比べればずっと少なくなったとはいえ、これまでに見たことのないような新しい種類の幻想だって、まだちゃんとあることはあるのだ。注意深く目を開き、しっかりと耳を澄ましていれば、それらの幻想は、今でもちゃんと僕に訴えかけてくる。そしてそれはある場合には、若い頃の自分なら見ることができなかったり、あるいはたとえ見えたとしてもそのままあっさりと見過ごしていたであろうはずのものなのだ。そう、リック・ネルソンも歌っているように、〈思い出の他に歌うものがないのなら、僕はトラックの運転手にでもなるさ〉。

「ねえ、あなたの顔をどこかで見たような記憶があるんです」と別れ際《ぎわ》にその青年はいかにも考えあぐねたという顔で言った。「バスの中で最初に見たときからずっと考えてたんです。この人は誰だろう、どこで会ったんだろうって。でもどうしても思い出せないんです。ここまで出かかっているんだけど、出てこないんですよ。以前にどこかで僕に会ったことはありますか？」

「どうだろう」と僕は言った。「僕にも思い出せないけれど、あるいはどこかで会ったことがあるのかもしれないね」

共同の夢を見る人々

旅の後半は、写真の松村映三君がニュージャージーからオアハカまではるばる運転して運んできた三菱パジェロを運転しての旅となる。一日のうちかなり長い時間運転することになったけれど、バスでの移動に比べたら桁《けた》はずれに楽だ。「ただし」と何人かの土地の人が真剣な顔で僕らに忠告してくれた。「日が暮れたら絶対に運転してはいけませんよ。いいですか、日の暮れる前に何があっても泊まるところをみつけなさい」

これではまるで吸血鬼の跋扈《ばっこ》するトランシルヴァニアを旅行しているみたいだけれど、会う人みんな口を揃《そろ》えてそう言った。どうして日が暮れてから運転してはいけないかというと、人里離れたところでは夜になるとかなり治安が悪化するからだ。吸血鬼は出ないけれど、強盗が出る。どっちもどっちである。

「行方不明になる人がけっこう多いんだよ。無理やり車を止められて、金やらものやらを取られ、口を塞《ふさ》ぐために殺されて、どっかに埋められてしまう。死体はまずみつからない。この前も小さな子供を含めた一家全員が殺された。これは珍しく死体がみつかったからわかったんだけれどね。夜中に道路の真ん中にでかい丸太をどてっと置いといて待ち伏せるんだ。走ってきた車が停車すると、みんなでわっと襲いかかる。とにかく日が暮れたら車を運転しちゃいけない」

　この手の犯罪話というのは、「これは誰かから聞いた実際にあった話だけれど」という例の都市伝説的なものであることが多いのだけれど、僕としてはバスで旅行しているあいだに武装警官隊の真剣な活躍ぶりやらトラックの荷台に積まれた死体らしきものやらを目にしているから、「この国では何が起こったって不思議はない」という実感がある。それに知らない土地を旅するときには地元の人の忠告を聞けというのは旅行者の鉄則だ。だから僕らは〈とにかく日が暮れたら運転はしない〉ということに決めた。全部で三週間くらい車で移動していたのだが、たしかに昼間運転しているかぎりでは、一度もややこしい目にはあわなかった。オアハカの町で、夜のあいだにニューヨーク州のナンバー・プレートを盗まれたくらいである。何人かのアメリカ人は「車でメキシコに行くんなら、拳銃《けんじゅう》かライフルは絶対に持っていったほうがいいぞ」と真剣な顔つきで忠告してくれたのだが、もちろん持っていかなかった。扱いなれない銃なんか持っていったって、トラブルがふえるだけである。

犯罪なんかよりもっと現実的に僕らがメキシコで悩まされたのはトペ（TOPE）である。トペというのは、人家に近いところで車のスピードを落とさせるために道路に作られた隆起物で、英語でいえばBUMPだ。とにかく国中いたるところにこれがある。そこできちんとスピードを落とさないと、ドスンという不快な振動を経験することになる。ところがもともとの道路がやくざなものだから、何がトペで何がトペじゃないのか、見ていてもよくわからないことが多い。トペかなと思ってスピードをゆるめると実はトペじゃないし、トペじゃないだろうと思ってそのまま走っていくとこれがトペだったりする。トペの前には「この先にトペがありますよ」という看板が立っているのだが、中にはそのトペ標識のないトペもあって（あるいはトペのないトペ標識もあって）、すごく紛らわしい。一日のうちにそういうトペを二百も三百も乗り越えるわけだから、もう見るのも嫌になってくる。

　こんなややこしいものを作らなくても〈スピード落とせ〉という標識を町の入口に立てておけばいいじゃないかと思うのだけど、でもたぶんメキシコでは、標識を見たくらいでは誰もスピードなんか落とさないのだろう（まわりのドライバーを見ていると、たしかにこいつらは標識くらいではスピードなんかまず落とさないだろうなという印象を強く受ける）。アルフレッド・バーンバウムにきいたら「うん、あれね、メキシコだけじゃなくて、他の中南米の国にもいっぱいあるよ」と言っていたから、これは中南米諸国においてはなくてはならない必需品になっているのかもしれない。

トペは隆起している人為的障害物だが、逆に陥没している非人為的障害物もある——要するに穴ぼこだ。これが道路一面に、チーズの穴みたいにぼこぼこと開いている。幹線一級道路ではそういうことはあまりないのだが、メキシコ・シティーから離れ、道路の格が下がるにしたがって、道路状況はだんだん陰惨なものになっていく。どうもこれは重い荷物を積んだ大型トラックの振動によってできたものらしい。すれ違うトラックはたしかに信じられないくらいいっぱい荷物を積んでいるし（メキシコでは物資のほとんどはトラック輸送される）、舗装に使われるアスファルトがそれだけの重さに耐えられるように作られていないのだろう。それならアスファルト舗装なんかはじめからやらないで、いっそのこと未舗装のままにしておけばいいじゃないかと思うけど、僕が何を思ってももちろんそれで事態が変わるわけではない。

僕の走った中ではベラクルスからコルドバに向かう山の中の道が最悪だった。穴の数においても、その深さにおいても、これはかなりの代物《しろもの》だった。こういうばあいには映画『恐怖の報酬』みたいに穴を丁寧に迂回《うかい》して車を進めるわけだが、あまりにも穴の数が多いのでいくら注意してもやむを得ず落ちてしまうこともある。この衝撃もトペの振動に劣らず不快なものである。車だって傷《いた》む。僕らはタフな四輪駆動車で来たからまだいいけれど、ポルシェとかフェラーリなんかで来たらすぐにガタガタになっていただろうと思う。まあ来るわけないから、そんなことどうでもいいんだけど。

とにもかくにも、そのような限りなく続くトペと穴ぼこに終始悩まされつつメキシコを移動した。あるいは僕らが夜に運転しなかったのは、武装強盗の恐怖よりは穴ぼことトペにとことんうんざりしたせいかもしれない。昼間でさえ路面状態が見にくいのに、暗くなったらこれはもう最悪である。

しかしそのようなサディスティックな路面状態やら、とくに遵法《じゅんぽう》精神に富んでいるとは言いがたい種類の人々の存在にもかかわらず、自分の意志で好きなところに好きなときに移動できるというのはきわめて喜ばしいことだった。限られた時間の中でメキシコを――とくに内陸部を――旅行しようと思ったら、車を手に入れることはほとんど絶対条件といってもいい。メキシコ内陸の面白さは、なんといってもあまり人々が訪れることのない小さな村や町に足を止めるところにあるし、そういうところにバスで立ち寄るのは簡単なことではないからだ。バスをみつけてやっとどこかの村まで行ったら、行ったはいいけれど帰りの便が二日後までなかったなんていうケースは、それほど珍しいことではない。その二日に一本のバスだって雨がざあざあ降ったら（またよく降るのだ、これが）来ないこともあるだろう。暇だけは有り余っているという人なら、それもまた楽しい経験かもしれないけれど、それ以外の大部分の旅行者にとっては、あまり現実的な旅行方法とは言えない。

オアハカで四、五日のんびりとくつろいでバス旅行の疲れをとったあと、太平洋岸の美しい港町プエルト・アンヘルを経て、チアパス州のサン・クリストバル・デ・ラス・カサスというかなり長い名前の町に向かう。太平洋岸を離れると、あっという間に山の中に入る。地図を見ればよくわかるけれど、ハリスコ州からオアハカ、チアパス州にかけては海沿いの平地というのはほとんどなく、海岸線と山地とがぴったりと密着するように続いている。峻険《しゅんけん》なシエラ・マドレ山脈が、このあたりでは太平洋の波打ち際《ぎわ》近くにまで張り出しているのだ。だからついさっきまで暑い海岸で泳いでいたのに、ふと気がつくと今はもうひやりとした山の中ということになる。とにかく山に入るとあっと言う間に気温が下がる。風景もがらっと変わる。植物の種類も変わるし、畑の作物も違ってくる。人々の暮らしぶりもまったく異なる様相を帯びてくる。見かける人々の顔つきも変わる。奥へ奥へと進むにつれて、独特の衣服に身を包んだインディオたちの姿が多く見かけられるようになる。雲が低く流れ、山肌を静かに湿らせている。これまでとはまったく違う国に入ったのだということをありありと実感する。

　チアパスはもともとの先住民族であるインディオが、いまだに強いコミュニティーを維持していることで有名な州である。彼らはメスティーソ（混血スペイン系住民）との混合を嫌い、頑《かたく》ななまでに自分たちの伝統的な生活を守っている。この土地は長年にわたる彼らとスペイン人との、そして後にはメスティーソたちとのあいだの、血なまぐさい抗争の舞台となってきた。そして今でもやはり、そのような緊張をはらんだ空気がここに残っている。

　この土地にスペインのコンキスタドール（侵略者）がやってきたのは一五二三年のことだが、彼らはあっという間に先住民＝インディオを武力征服し、その土地を取り上げて、報奨として兵士たちに与えた。そして、その土地を耕すためにインディオたちを奴《ど》隷《れい》として文字通り酷使した。インディオたちはそれまで暮らしていた村から狭い山あいのセツルメントに移され、そこで兵士たちの厳しい監視のもとに置かれ、強制的にキリスト教に改宗をさせられ、重い税金を課せられた。

　先住民族であるインディオたちがどれほど劣悪な環境で酷使されたかは、その人口の激減ぶりによって推察できる。スペイン人がこの地を征服したとき、チアパスに住むインディオの数は約三十五万人だったが、一六〇〇年にはその数は実に九万五千にまで減っている。スペイン人が旧大陸から持ち込んだ伝染病もその先住民人口減少の大きな一因ではあるけれど、それにしてもすさまじい減りようである。インディオたちがいかに「消耗品」として扱われたかをうかがうことができる。

インディオたちの味方として立ち上がったのは、バルトロメ・デ・ラス・カサスを中心とするキリスト教の宣教師たちだった。彼らはインディオたちを保護し、スペイン本国に彼らの置かれている窮状を訴え、なんとか奴隷制度の廃止を実現するまでにこぎつけた。これが一五五〇年のことである。サン・クリストバル・デ・ラス・カサス（長い名前なのでラス・カサスと省略して呼ばれることが多い）は彼の名前に因《ちな》んでつけられた。

もっとも奴隷制度こそなくなったものの、インディオたちの置かれた実質的な隷属状態にはさしたる変化はなく、彼らは定期的に反乱を起こすことになった。一七一二年にはツェルタル族のひとりの少女が夢を見た。夢の中にマリア様が出てきて、スペイン人に対して武器を手に取って立ち上がれば、インディオたちに救済がもたらされることになるだろうというお告げをした。彼らは武器を手に立ち上がり、そして激しく弾圧された。一八六九年にはツォツィル族の村に「ピエドラス・アブランテス（喋《しゃべ》る石）」という三個の奇蹟の石が現われ、その地方の人々のあつい信仰を受けることになった。やがてその石たちは——それは黒曜石で、あたかも喋っているかのように見えたということであるが——人々に向かって反乱せよ、自らの土地を取り戻せ、と告げ、その結果として大規模な反乱が起きた。しかしそれも軍に鎮圧され、その過程できわめて数多くのインディオが殺戮《さつりく》されることになった。

　現在でもそのような緊張状態は決して解消されてはいない。チアパス州の土地の半分近くが、人口の一パーセントにあたるメスティーソ地主階級によって所有されている。彼らは経済と政治と警察を掌握し、あるものは私兵を抱えている。インディオの活動家による土地返還運動は、彼らの強大な力によっておさえつけられる。アムネスティ・インターナショナルはこれまでに約二十人のツォツィル族活動家が彼らの手によって暗殺されたと発表している。

　僕がこの州の歴史について長々と書いたのは、このような歴史的経緯を知らないことには、この土地を旅行して、そこにあるものごとのありようを理解することはほとんど不可能だからである。チアパスは歴史に踏みにじられ、力によって侵された土地である。そこは貧しい土地であり、矛盾と哀《かな》しみに満ちた土地である。一歩足を踏み入れさえすれば、旅行者はそれをはっきりと目にすることができる。その貧困は圧倒的とまでは言えないかもしれないが、かなり深刻である。チアパスの人口の半分以上がいまだに電気のない生活を送っていると言われている。チアパスに発電所がないわけではない。川には大きなダムもちゃんとある。しかしその発電所で作りだされる電力の多くは他の州に送られてしまって、チアパスの人々のところまではなかなかまわってこない。人種間の根深い対立、富の圧倒的偏在というメキシコの抱えるふたつの大きな問題がもっとも顕著なかたちで出ているのが、実はこの土地なのだと言っても差し支えないだろう。

でもそのような深刻な問題を越えて、この土地には何かしら人の心に訴えかけてくるものがあるようだ。そこには哀しみの中に美しさがあり、熾烈《しれつ》さの中に静けさがあり、貧しさの中にある種の心持ちがあった。こう文章に書いてしまうと何か妙な表現なのだけれど、でも実際にそこに行ってこの空気を吸ってみると、たぶん僕の書いていることが納得していただけるのではないかという気がする。今回の旅行でメキシコの様々な土地をまわったけれど、このチアパスくらい強い印象を僕に与えたところは他にはなかった。そしてその結果、我々は最初の予定より長くこの土地にとどまることになった。

サン・クリストバル・デ・ラス・カサスは落ち着きのある美しい町である。標高は二千メートル以上あるので夏でも涼しく、上着が必要だ。そんなしっとりとした空気の中に、美しい色に塗られた町並みがどこまでも続き、植民地時代の華麗さをそのままに留めている。どこを写真にとってもそのまま絵葉書になりそうな雰囲気がある。メキシコの町というと壁じゅうが派手な広告板になっているところが多いけれど、この町はそういうことがない。たぶん何か規制みたいなものがあるのだろう。

オアハカもなかなか美しいところだったが、なにしろ現実的に今でも州都の役割を果たしている町だから、車も多いし、人も多いし、空気も悪いし、おちおちと散歩なんかしていられない。静かで感じのいいのは車の乗り入れが規制されているソカロ（中央広場）の一角だけだ。でもこのラス・カサスはずっと昔に州都であることをやめて、現世的な役割を放棄して、あとは歴史的な町としてひっそりと隠居的に存続してきたから、ちょうど飛騨《ひだ》の高山みたいな感じに、いろんなものが昔のままに残っている。古都という表現がいかにも相応《ふさわ》しい。ちなみにチアパス州の現在の州都はトゥストラ・グティエレスという大きな都市で、僕らは日程の都合で仕方なくここに泊まったけれど、できることなら一刻も早く逃げだしたいという類《たぐい》の場所だった。賑《にぎ》やかというかなんというか、とにかくもう人が多くて汚くてうるさい。そういう乱雑な現実的要素が全部まとめてごっそりこちらに行ってしまって、あとにはただただ静かで美しいラス・カサスの町が残った、ということになるのだろう。京都なんかも政治的・経済的機能をどこかの段階で別の場所に移してしまえばよかったのだろうと思うのだが、これはいまさら言っても詮《せん》のないことである。

いずれにせよラス・カサスは、ここになら腰を据えて住んでもいいかなという気になる数少ないメキシコの町のひとつであった。僕の個人的な印象でいえばメキシコの町はだいたいにおいて二種類に分けられる。「騒がしい町」と「しけた町」である。その中間というのはあまりない。でもサン・クリストバル・デ・ラス・カサスは騒がしくもなく、しけてもいないという珍しい町である。人口は約五万、住むにはちょうどいいサイズだ。散歩をしていても飽きないし、感じのいいレストランやらコーヒーハウスなんかもある。一カ月くらいここにいたら、小説が気持ち良く書けそうな気がする。

この町を訪れた人がまず最初に気がつくのは、おそらくインディオの数の多さだろう。もちろん数からいえばオアハカの町だって多いのだけれど、この町にいるインディオたちは、オアハカの町で見かける普通の服を着た「近代化された」インディオたちとは違って、みんなが昔ながらの民族衣装を着て、今でもスペイン人による征服以前の風習をそのままに残している。衣装の色は部族によってそれぞれに違う。それらの色はどれもとても鮮やかなものなのだけれど、自然素材の布を、昔ながらの自然染料を使って染めたものだから、遠くから見ていてもどことなく味わいがあって、ほっとさせられる。そのようなピンクや、黒や、紺や、赤の色とりどりの衣服に身を包んだインディオたちが、やはり美しい色に塗られた町の通りを足音も立てずに——というのは彼らの多くは裸足《はだし》なので——ひっそりと歩いて抜けていく。まことに美しい光景だ。もともとそうでなくてはならないものがちゃんとそこにある、という感じがする。とくに早朝や夕暮れどきの風景には、見るものの心を慰撫《いぶ》するものがある。

これらのインディオたちの多くは町の中には住んでいない。彼らはみんなラス・カサスの近郊に散らばるそれぞれの共同体・部落に住んでいて、朝早くバスに乗ったり、あるいは歩いたりして町にやってくる。トラックの荷台に二十人くらいのインディオを乗せて朝夕に送り迎えする光景もよく見かける。誰がそういうトラックをオルガナイズしているのかはよくわからない。でもとにかく彼らはラス・カサスまで毎朝「通勤」してくるわけだ。ラス・カサスの町中に住んでいるインディオは多くの場合、なんらかの理由で——たいていは宗教的対立で——共同体を追放された人たちである。インディオたちはみんな何かを売るためにこの町に集ってくる。女や子供たちが、自分たちの作った民芸品や衣服を背中にかついでやってくる。男たちは野菜や果物や、その他もろもろの工芸品を売りにくる。そして町のあちこちに賑やかな市が立つ。こういうところも飛驒の高山に少し感じが似ているかもしれない。

売り子の大半は女たちや子供たちである。広場や教会の前のマーケットに自分のショバを持っているものは、そこに腰をすえて品物を並べ、夕方まで商売をしている。ショバを持っていないインディオの女たちや子供たちは、一日じゅう町を歩きまわって、観光客の姿を見かけると寄ってきて「これ、買って」と言う。一般的に言って、彼らの言い値は市で売っている値段よりはいくぶん安い。しかしいずれの場合にせよ値段の交渉にけっこう時間がかかる。そして夕方になると彼らは荷物をまとめ、また自分の家に戻っていく。

夕暮れどきに、一日の商売を終えたインディオたちが電器店の前にじっと座り込んでいる姿をよく見かけた。ウィンドウの中で放映されているカラー・テレビの画面を食い入るように見つめているのだが、そのあいだ彼らはまったくひとことも口をきかない。意見も言わないし、笑いもしない。身動きひとつしない。全員がその画面に映しだされているものに魅せられ、魂を抜かれてしまっているみたいに見える。ほんとうに不思議な、マジカルと言ってもいい光景だった。

たしかに昭和三十年代には日本でも街頭のテレビというのがあったし、人々はそこに集まって、ぽかんと口を開けてテレビの画面に見入っていたものだ。その時代に街頭テレビを見入っていた日本人が感じていたものは、おそらく新奇なるものへの好奇心であり、憧《あこが》れであった。新しいテクノロジーが時代を変え、そして生活を変えていくのだという微熱的興奮がそこにはあった。人々は広場にあって、多かれ少なかれ、そのような感情を共有していた。でもこのラス・カサスの電器店の前で僕が見かけたインディオたちの表情には、そんなものはかけらもなかった。インディオたちはまるで夢でも見るように、静かに静かにテレビを見ていた。もちろん彼らは貧乏でテレビなんてとても買えないから、そこで立ち見（というか座り見）をしていたわけなのだが、そこには貧しさの影は感じられなかった。貧しさから派生して生じる惨《みじ》めさや屈折や開き直りというようなものもなかった。彼らはまるでそこに座り込んだまま、個人的な夢でも見ているようだった。あたかも一時的なトランス状態に入ってしまっているように。

僕らがサン・クリストバル・デ・ラス・カサスの町から最初に訪れた近郊のインディオの村はシナカンタンだった。狭いでこぼこの山道を進んで、やっとの思いで村にたどり着く。「これはやはりパジェロでしか来られなかったね」と話していたら、なんのことはない。僕らが通ってきたのは実は旧道で、その反対側にはきちんと舗装された立派な道路があった。この村はラス・カサスの町から十一キロしか離れていないということもあって、道路や学校の設備もみたところけっこう充実しているようである。がらんとした村のまん中にぴかぴかの小学校の校舎が建っていて、なんとなく不思議な印象を受ける。

征服者であるスペイン人がやってくるまでは、シナカンタンに住む人々は後期マヤ文明の傘のもとに交易を主な仕事としていた。彼らはグアテマラから北のアステカ帝国にいたるまでの広大な地域にわたる交易ネットワークを作り上げ、様々な必需品、貴重品を輸送し、取引した。シナカンタンの名は当時広く全国に知れ渡り、その名を聞いただけで人々は「ほう、シナカンタンの人か」と一目置いたものだという。今日ではそのような昔日《せきじつ》の繁栄の面影は、この谷間の小さな村にはまったくうかがえない。ただのインディオの寒村である。スペイン人の登場によって社会状況が大きく激しく変化し、そんな変更過程の中でシナカンタンの土地とそこに住む人々はその声を失い、歴史の中にすっかり埋没してしまったわけである。

しかし考えてみれば、彼らを埋没させた歴史というのは、いくつか並列的に存在している歴史性の仮説のひとつにすぎないのであって、彼らを忘却したオフィシャルな歴史（我々が学校で学び、知識として得る一般的な歴史）とは別に、彼らの目をとおして連綿と継続している「もうひとつの歴史」がそこには同時存在しているはずである。そういった「もうひとつの歴史」は、はっきりとは目に見えない場所に、明確なかたちを取らない事物の中に、おそらく今でもひっそりと、しかし強固に脈打っている——シナカンタンの村の広場に腰をおろしてぼんやりとあたりの風景を眺め、祭りの花火の音に耳を澄ませていると、僕はそういう思いにふと打たれることになる。

たとえかつての現世的栄光が失われても、あるいはまたスペイン人によって祖先の土地を収奪され、長年にわたって隷属《れいぞく》的地位に落とされ、古来の宗教を強制的に奪い去られても——いや、だからこそと言うべきなのか——ここに住む人々は、かつて自分たちがその精神の磁場として頼っていた豊かな土着的想像力をいまだに失ってはいないように見える。それはおそらく目には見えない、かたちを取らないものであったからこそ、あらゆる圧迫を越えて生き延び続けることができたのだろう。そしてそのような強い共同意識が外部との混合を拒否し、スペイン人による征服からもう五百年近くの時間を経たにもかかわらず、部族としてのアイデンティティーを明確に保つことを可能にしてきたのだ。それが彼らの「もうひとつの歴史」なのだろうという気がする。この土地にあっては、時間というものは我々の想像を越えて、ゆっくりとたゆとうがごとく流れているようだ。

ロバート・ローリンが書いた『こうもりの人々』（シナカンタンの人々はかつてコウ

モリを守護神として崇《あが》めていた）という本は、シナカンタンの人々のこのような鮮やかにして確固たる世界観のようなものを我々に伝えていて、なかなか興味深いのだが、そこにこんなエピソードが紹介されている。一九六九年に一人の少年が夢の中で、あるお告げを聞く。湖を見下ろす丘の上に大きな鐘が埋められている、お前はそれを掘り出さなくてはならない、とそのお告げは彼に命じる。夢の中で、古代の神が彼をその場所に連れていく。そして言う、ここに鐘が埋まっているのだと。少年の手だけではとても掘り出せないので、少年は援助を求めて村の有力者のところに行って、その夢のお告げの話をする。有力者はシャーマンを訪れて、少年の聞いたお告げが真実のものであるかどうかお伺いをたてる。シャーマンはさまざまな手続きを経て、それが真実のお告げであると認定する。それから発掘がおこなわれる。猫の手も借りたいくらい忙しいトウモロコシの刈り入れどきであったにもかかわらず、村人は一人残らず鍬《くわ》やシャベルを持ってその丘の上に集まり、二週間にわたってせっせと石灰岩の固い岩盤を砕いて穴を掘りつづけた。結論から言うと、残念ながら鐘は出てこなかった。あとに残ったのは十メートルばかりの深さの見事な穴だけだった。

かくのごとくすべてのシナカンタンの人々は、夢というものに対して非常に強い関心を寄せており、ある場合には（その夢が共同体の運命に影響を及ぼす可能性を有しているような場合には）それは個人的な夢であることをやめて、共同体ぜんたいの中で共有される夢となる。そのような場合には、シャーマンが共同体の長《おさ》に助言を与え、村人が力をあわせてそれにあたる。そういうことが今でも、現実にここではおこなわれているのだ。人々は手首にカシオの腕時計をはめ、ラジカセを持って歩いている。それでもなお、彼らはいまだに共同体としての夢を見ているのだ。

そしてここでは、人々は宗教的理由によって写真を撮られることを激しく拒否する。シナカンタンの近くにあるサン・ファン・チャムラの村では、何年か前に教会内部で写真撮影をした二人の観光客が住民の手で殺されたという。これも例によって「誰かから聞いた実際にあった話だけれど……」という類のものかもしれないけれど、いろんな旅行案内書に載っているから実際にあった話かもしれない。そして現実にチャムラの村に行ったときに、僕はこう感じた。実際にあったことにせよ、なかったことにせよ、そういうのが起こったとしてもとくに不思議はないな、と。

でも写真の松村君は、写真を撮るのが商売だから「わかりました。写真撮影は遠慮しましょう」というわけにはいかない。ここに出ているように、村の人々の写真をかなりいっぱい撮影した。おかげでずいぶんひどい目にあうことになった。石を投げられたり、

チアパス州チェナルオで、
何かの宗教的な行列に遭遇した。

インディオの儀式用の扮装。

殴られたりした。僕は見かねて「もう少しこっそりと隠れて撮影したら」と忠告したのだけれど、彼は首を振った。「いいえ、ハルキさん。写真というのはまっすぐ正面から撮るものです。こっそりと隠れて撮ったりするのは卑怯《ひきょう》で恥ずかしいことです」

松村君がこれほどまで強固に隠し撮りを拒否するのは、実は彼が某写真週刊誌で何年かにわたって仕事をしてきたからである。人目を忍んで隠し撮りすることに飽いたのである。だから何があっても、もう隠し撮りだけはしないというのが信念になっている。「石を投げられたりするくらい、大丈夫です。前にアフリカに行ってマサイ族の撮影をしたときなんか、槍《やり》で突かれて病院に行きました。それに比べたらこんなのまだまだちょろいです」

そこまで言われると、僕としても「そうか。じゃあ、まあ気をつけてやりなさい」と言うしかない。でも松村君ははたで見ていても気の毒なくらいひどい目にあっていた。彼が写真を撮っていると、まわりの人がいろんなものを投げつけてくる。それがまた実に的確にびしばしと命中するのだ。毎日何かに向かってものを投げつける練習をしているんじゃないかという気がするくらい、見事に頭に命中する。本当にそのうちに殺されるんじゃないかという気がしてくるくらいであった。写真家というのも大変な仕事である。まだ小説家でよかった。文芸批評家だって（まだ今のところ）本物の石までは投げてこない。

しかし松村君もさすがにだんだん真剣に身の危険を感じてきたらしく、何日かたったあとでは、節を曲げて、車のガラスにシートを張って隙間《すきま》からこっそりと写真を撮るようになった。しかしこう言っちゃなんだけれど、そうと決まるとさすがに昔とった杵柄《きねづか》というか、実に仕事が手早い。手際《てぎわ》がいい。たいしたものだという気がする。そんなことに感心していちゃいけないんだろうけど。

インディオの村に入ると、僕は巻き添えをくわないように、なるべく松村君からは離れて行動するようにしていた。写真も撮ってないのに石なんか投げられたらたまったものではない。僕はこんな人のことは知らない、無関係だという顔をして、なるべく人目につかないところでメモを取ったり、簡単なスケッチをしたりしていた。人々は写真を撮られることを嫌うけれど、スケッチに関しては気にもとめない。今回のようにそれについての文章を書くことを前提とした旅行では、ヴィジュアルな記録が必要になってくる場合がある。そういう時にはだいたいはオート・フォーカスの小さなカメラでさっと写しておくのだけれど、ここのようにカメラを使いにくいところではやむを得ず絵を描くことになる。絵を描くのは決して得意なほうではないのだけれど、教会の階段に腰をおろして、まわりの人々の着ている服の色やかたちをのんびりとスケッチしていると、なかなか悪くないなという気がしてくる。こういう場所では、時間の流れ方が写真よりはスケッチに合っている。

　もっとも村のインディオの全員が写真を撮られることを嫌がるというわけではない。チャムラではお金をくれたら写していいよ、という女の子がけっこういた。物売りの女の子なのだけれど、品物を欲しくないと言ったら、じゃあ写真撮りなさいよ、千ペソでいいからと言う。千ペソというと日本円にして四、五十円である。菓子パンが四つくらい買える。お母さんが積極的に子供を連れてきて、さあ写真を撮りなさいという場合もある。個人によってもちろん差はあるけれど、写真を撮られることについては、一般的に言って大人よりは子供のほうが抵抗が少ないし、男よりは女のほうが抵抗が少ないようである。インディオの村では女子供が観光客を相手に商売をすることが多いし、だから彼女たちはある意味では男たちよりはもっと現実的に、もっと切実に貨幣経済とかかわりあっているのだ。しかしそんな風にお金をあげて、それと引換えに写真を撮ることにいったいどれだけの意味があるのだろうと考えると、いささか複雑な気持ちになってしまう。

　もしあなたがチアパスのインディオの村にお越しになることがあったら、カメラはあきらめてどこかに置いてきて、腰を据えてのんびりとスケッチでもなさったほうがいいのではないかと思います。うまい下手はともかくとして、そのほうがずっと気楽だし、人々の中にすんなりと溶け込める。こそこそと隠し撮りをしたり、石を投げられたりするよりは気持ちだってずっといい。

シナカンタンの町ではサント・オッターボという聖人のお祭りがおこなわれていた。べつに大きなお祭りではなくて、市も立っていないし、人々が集まっているのでもない。教会の庭でバンドの演奏がおこなわれ、花火が打ち上げられているだけである。教会の広い庭には二階建てのキオスクみたいなものがあって、そこの二階が舞台のようになっている。そこには楽隊が並んでお祭りのための音楽を演奏している。編成はトランペットが2、サックスが2、トロンボーンが1、チューバが1、それに太鼓である。この楽隊はどこか余所《よそ》からやってきたセミプロ的な人たちであるらしく、地元の人とは違って、みんな普通の服を着ている。この楽隊はひとしきり景気の良い音楽を演奏してから、ひと休みする。彼らが休んでいるあいだ、その下にいる地元のミュージシャンがかわって演奏を続ける。地元のミュージシャンといっても、要するにただのその辺のおじさんが三人いるだけで、二人は小さな太鼓、一人は簡単な縦笛である。音も小さいし、景気もよくないし、メロディーも不明確である。昔の日本のお祭りの音楽みたいなぴーひゃら、ぴーひゃらというのを、地べたに座ってずっとしんみりとやっている。

でも二階でやっているぶんちゃかぶんちゃかという景気の良いやつよりは、こっちのしんみりとした音楽のほうが心なごむところがある。とくに僕ら日本人にとってはそのぴーひゃらぴーひゃらは、なんとなく近しいものとして感じられる。でもそのうちに二階の楽隊がまた演奏を始め、下のおじさんたちは演奏をやめる。どちらの演奏者も終始無表情に演奏している。にこにこともしていないし、むっつりしているというのでもない。そこには表情というものがまるでないのだ。演奏自体も終始フラットで、盛り上がりは皆無である。ただ音楽がそこに切れ目なく流れているだけだ。

花火の職人は全部で五人いる。みんなかなりの年寄りである。そして彼らの顔にもほとんど表情はない。服装を見ると、こちらもやはり外部からやってきた専門の花火職人であるらしい。おそらく楽隊や花火の専門家はお祭りの日程にあわせて、村から村へと移動して生計を立てているのだろう。慣れた手つきで黒い色をした火薬を木槌《きづち》でとんとんと叩《たた》き、それを筒に詰め、詰め終わると火をつけてドオオオンと空に打ち上げる。見ていると今にも手もとで爆発しそうで怖いのだが、職人たちの手には傷ひとつ火傷《やけど》のあとひとつないから、失敗するようなことはないのだろう。花火と言っても、とくに視覚的に美しいわけではない。なにしろ明るい昼間に打ち上げるんだから、煙の他には何も見えない。ドオオオンという威勢のいい音がして、空でパアッと煙が散って、それでおしまい。打ち上げが終わると、おじさんたちはまた腰にぶらさげたヒョウタンの中から黒い火薬を出してきて、木槌でとんとんと叩いて……というのが延々と、まるで永久運動の一部みたいに繰り返される。きわめて機械的であり、事務的である。そのあいだ楽隊はあいかわらずぶんちゃかぶんちゃかなり、ぴーひゃらぴーひゃらなりを続けている。

同じことが何度も何度も単調に繰り返され、時間だけがゆっくりと流れていく。でも教会の庭に腰をおろして、子供たちと一緒にそういう光景をじっと見ていても、僕としてはべつに退屈もしないし飽きもしなかった。というか、そのうちにある種の懐《なつ》かしささえ感じてくることになった。そういえば昔は日本でも、お祭りといえばこんな感じののんびりしたものだった。お祭りというのは、ぱっと盛り上がってぱっと終わるというものではなくて、朝から延々と続く長い過程を楽しむものであった。我々はある場合には、見事な祭典よりはむしろ、いつ果てるともなく引き延ばされたアンチ・クライマックスのほうを好んだ。

そういう気持ちは——そういえばこんな感じだったよなという懐かしさにも似た気持ちは——その地域を旅しているあいだいろんなところで感じることになった。たとえば小雨にけぶる田舎の山道を運転していて、カーブを曲がるとそこに新しい風景が開ける。そういうときに、眼下に点在する民家の屋根や、山肌を切り開いてちまちまと作られた畑の姿に、日本の田舎のたたずまいをふと見てしまうことがあった。隣にいたアルフレッドに「なんとなく日本の田舎に感じが似たところがあると思わない？」と訊《き》いてみると、「うーん、そうかな、このへんにとくに日本的な感じがするとは思えないな。こういう田舎の景色ってさ、どこでもみんな似ているところがあるんじゃないの」という答えが返ってきた。もちろんどこの国の田舎にも似たようなものがあるのはたしかだ。でも僕は、これまでいろんな国を旅していろんな田舎を目にしてきたけれど、そういう親近感のようなものを感じたのは初めてのことだった。とくにアメリカ東部で一年半暮らしてきたあとで、こういう景色を前にすると「そうだな、こういうのは視覚的によくわかるな」としみじみと感じるところがある。合衆国で暮らしていると、居心地がいい悪いには関係なく、やはり自分は余所《よそ》で暮らしているんだという思いはいつもある。本来的な場所ではないところで暮らしているという思いがある。それは社会的にどう、人種的にどうという以前の問題である。それ以前に我々を取り囲んでいる情景が視覚的に「余所」なのだ。そこでは情景が、潜在的記憶として我々の心にじかに、理不尽に訴えかけてくるということはまずない。もちろん美しい風景を目にすれば美しいと感じ、また感動だってするわけだが、それはあくまで「美しい」という文脈の中での感動なのだ。でも僕がチアパスの山のなかでふと感じたのはそのようなものではない。僕がそこで感じたのは、もっとずっと遠くのほうまで連綿とつながっていて、できあいの言葉ですんなりとは表わすことのできない種類の共時的心持ちとも言うべきものなのだ。

でももちろん、僕はメキシコ先住民に対して安易な連帯感を抱いているわけではない。ものごとはそれほど簡単ではない。我々は歴史的にも文化的にも人種的にも彼らからは大きく隔てられている。しかしそれでも僕はその土地をまわりながら、足元にいわく言いようのない強固な根のようなものの存在を感じ続けることになったし、そういうものを感じさせてくれる場所というのは、世界じゅうを探してもそれほど沢山はないだろうと思う。

シナカンタンの教会に入って紫色の派手なガウンをまとったイエス・キリストや、この村特有の衣装を着たマリア様を眺めていると、十歳くらいの少年がやってきて「ボールペンがほしいのですが、お持ちではありませんか」と僕に尋ねた。僕はボールペンを車の中に置いてきてしまったので、ないと言った。すると少年は「ボールペンを買いたいのですが、少しお金をいただけませんでしょうか」と言った。僕は千ペソをあげた。千ペソではボールペンは買えないだろうけれど、細かいのがそれしかなかったのだ。そのあとで別の男の子がやってきて、「申しわけありませんが、ボールペンをお持ちではないでしょうか」と尋ねた。くわしい事情はよくわからないが、この村ではボールペンがかなりの人気商品であるらしかった。

サン・ファン・チャムラはシナカンタンよりはずっと規模の大きな村だし、人々の性向はもっとアグレッシヴであるようだ。「桃源郷のごとき村」と書いてある案内書もあるが、僕の受けた印象はそれほど気楽な感じのものではなかった。この村の人々はシナカンタンで見かけた人々に比べると、ずっと貧しい生活をしているように見える。ここの子供たちは、シナカンタンの子供たちのように「申しわけありませんが、ボールペンをお持ちではないでしょうか」というようなまわりくどいことは言わない。みんなで観光客にまつわりついて「お金おくれよ、お金おくれよ」と言う。あるいは手に持った民芸品、みやげものを押しつけて、執拗《しつよう》に売りつけようとする。車を停めると小さな女の子の一群に取り囲まれ、「車をちゃんと見張っててやるから、二千ペソちょうだい」と言われた（たしかにちゃんと見張っていてくれたけれど）。みんな着ている服はぼろぼろだし、髪はくしゃくしゃで、アカだらけである。靴やサンダルを履いている子供はほとんどいない。お金のかわりに持っていたビスケットをあげると、貪《むさぼ》るようにぼりぼりと食べた。インディオの生活設備改善につとめるという政府の施策のせいで、ここでも道路だけは驚くくらい立派なものができているが、そこを歩いている住民の姿はいささか場違いに見える。

多くのインディオの村がそうであるように、人々はみんな統一されたお揃《そろ》いの恰好《かっこう》をしている。それは彼らがそこの共同体に属しているという証《あかし》のようなものである。女たちは小さな子供たちからおばあさんまで、みんな青いショールを肩にかけて、黒い腰巻き式のスカートをはいている。男たちは麻の毛布みたいな服をすっぽりと被《かぶ》って、下には短いズボンをはいている。たいていの男は帽子をかぶって、ワラチ・サンダルをはき、腕時計をはめている。ちょっとした服装の違いで、村の中での身分階級がわかるということだが、僕にはまだそこまではわからない。とにかく服装に関してはいろいろと細かい規定があるのだ。そういう村の衣服はみやげ物店で買うことはできるけれど、買った服をその場で着ることは、ときとして危険である。何故《なぜ》ならそれは共同体の規定を部外者が侵害することであるからだ。

どこの村でもそうだけれど、村の中に入るとまず最初に教会が目につく。ここの教会の扉は鮮やかなペパーミント・グリーンに塗られている。「うちの村の教会の扉はペパーミント・グリーンに塗ろう」という決定がどのようにしてなされるのか、もちろん僕にはわからない。住民総会みたいなものを開いて多数決で決めるのかもしれない。あるいはペパーミント・グリーンは昔からこの村のテーマ・カラーなのかもしれない（そういえば女たちのかぶっているショールの青に似ていなくもない）。教会の中には椅子《いす》はない。「土間」という表現がいかにも似つかわしいがらんとした広い床の上には松の枝が敷きつめられ、いたるところにロウソクが立てられてともっている。荘厳《そうごん》というよりは、何かしら魔術的な雰囲気の強い教会である。西欧の教会から見れば異教的と言ってもいいような、不思議な空気がそこには流れている。十字架のかたちのバランスも、ヨーロッパのカソリック教会のものとはぜんぜん違っているし、そこで演奏される音楽もいわゆる教会音楽ではない。ときおりインディオたちが教会の中に入ってきて、裸足《はだし》の足で松葉を踏みながら祭壇の前まで行き、そこにひざまずいてそっと十字を切る。教会の中にカメラを持ち込むことはできない。教会の中で撮影をした観光客が住民に殺害されたというのは、実はこの村の話である。

教会の前の大きな広場では市が立っているが、これは地元住民のための必需品や食品を売っている市であって、我々の興味をそそるようなものはあまりない。売っているのは干し魚、さとうきび、椰子《やし》の実、レモン、バナナ、といったものである。僕はここの屋台で茹《ゆ》でトウモロコシと卵のタコスというのを食べた。卵のタコスというとなんだかおいしそうだけれど、要するに冷えたゆで卵をトルティーヤで巻いて食べるだけのものである。はっきり言って、べつにうまくもなんともない。

それから物売りの女の子から小さな飾り紐《ひも》をふたつ、五百ペソで買った。

サン・アンドレアス・ラライン サールはシナカンタンからもう少し山奥に進んだところにある。この村までの道はサン・ファン・チャムラやらシナカンタンのように道路が整備されていないので、交通の便はかなり悪い。道路工事の車両が入っていたからそのうちに舗装されるのだろうが、今のところはまだかなり悲劇的な状態にある。少し雨が降ると道は致命的にどろどろになり（足首まですっぽりと泥に埋まるくらいになる）、四輪駆動車でも通行が困難になる。僕らの車の前にいたトラックがぬかるみにはまりこんで、まったく身動きが取れなくなり、立ち往生していた。狭い道なので追い越すこともできない。タイヤの下に石やら木の枝やらを敷いたり、みんなで後ろから押したり、なんとか抜け出すまでにあれやこれや三十分くらいはかかった。そのあいだ僕らもずっとうしろで待っていた。

日曜日になるとララインサールにはかなり大きな市が立つ。僕らが行ったのはうまい具合に日曜日だったから、この市をじっくりと見物することができた。ここで売られているのは、日常生活品である。トラックに荷物を積んで町からやってきた商人たちや、あるいは野菜や家畜を連れて近郊から来た農夫たちが、それぞれに店を構え、それを買うために付近のインディオたちが村の広場に集まる。まだ血の垂れている豚の頭が台の上にずらっと並んでいたりする。マチェテ（山刀）を並べて売っているものもいる。ここでの人気商品はなんといってもラジカセで、これを売っている店の前には人だかりができている。ラジカセを買ったインディオたちは、それでみんな例のちゃんちゃかちゃんちゃか、というメキシコ歌謡曲をかけるのである。ほんとうに困ったものである——といってもよその国のことだからまあ仕方ないのだが。

この村の子供たちはどちらかというとおとなしい。観光客を見てもそんなにしつこくは寄ってこない。一人だけはっとするくらい綺麗《きれい》な八歳くらいの女の子がいて、僕はその子から布の袋を買った。袋そのものもなかなか悪くなかったのだが、その女の子がものすごく綺麗だったというのも、購買のひとつの大きな要因であった。たしかにどこの世界でも美人は得だと思う。最初の向こうの言い値は忘れたけれど、値切ったり抵抗したり妥協したりの末に、取引値段は四千ペソに落ち着いた（八歳でも、こういうことになるとすごくしっかりしていて感心してしまう）。でも実際にお金を払おうと思ってポケットを探ってみると、そこには細かいお金が三千五百ペソしかなかった。一万ペソ札はあったのだけど、お釣りなんてどこにもない。それで「悪いんだけど三千五百ペソにしてくれないかな、これしかないから」と言ったら、その女の子はものすごく哀《かな》しそうな目で、長いあいだじいいいいいいっと僕の顔を見ていた。まるでスクルージ爺《じい》さんを見るみたいに。それから何も言わずに僕の三千五百ペソを受け取ってあっちに行ってしまった。今でもその女の子の目を思い出すたびに、僕は自分がこのラインサールの村で極悪非道な行ないをしてしまったような気がする。

まだ他にもいくつかの村を訪れたのだが、いちいち順を追って書いていくと長くなるので簡単に記す。チェナルオの村では松村君は写真を撮っていて頭をぽかっと殴られた。僕はいつもどおり「この人とは無関係です」という顔をして何かの宗教的な行列を見物したり、店に入ってビールを飲んでいたりした。松村君は教会の裏の空き地で立ち小便をして怒鳴りつけられたりもした。今になってみれば、よく生きて帰れたものだと思う。この村ではやたら酔っ払いが多かった。赤い顔をしたおっさんが千鳥足でそのへんをふらふらしていたし、広場では喧嘩《けんか》も見かけた。

テネハパの村の入口には「戦う女性たちの協同組合・民芸の店」というのがある。スペイン語では、

SOCIEDAD COOPERATIVA DE ARTESANIA UNION DE MUJERES EN LUCHA S.L.C.

ということになる。細かいことはよくわからないけれど、これはこの地域で織物をやっている女性たちが集まって組合を作り、自分たちが作った製品をひとつの場所にまとめて組織的に売ろうという運動であるらしい。商品の流通を一本化することによって値崩れを防ぎ、中間搾取《さくしゅ》を排除することが組合の狙《ねら》いらしい。店で品物を売っている人たちもみんな女の人である。運動の動機そのものは至極まっとうだが、「戦う女性」という名前はやっぱりちょっと怖いですね。こういうことを言うとフェミニストの人に叱《しか》られそうだけれど、ものを売る店なんだから、まあもう少し柔らかい名前をつけてもいいんじゃないかという気がする。思想性は思想性として。案の定、中に入って「これはもう少し安くなりませんでしょうか」と値段の交渉をすると、即座に「ノオ」という答えが返ってきた。これは組合の公定価格なので、値段の交渉はできないということであった。そういう織物の権威であるアルフレッドによると（この人は実にいろんなものの権威である）、「ものはいいけど、ちと高いね」ということであった。僕も「ちと高い」と思う。それにメキシコに来てから品物の値段を値切ることにすっかり慣れてしまったので、公定価格でそのまま買わされるというのがいささかひっかかる。というようなわけで、結局何も買わないで出てきた。あとで本で読んだところによると、この公定価格に

シナカンタンの楽隊。

テネハパの村。

ついては村の中でも激しい内輪もめがあるのだということであった。どういう種類の内輪もめかはよくわからないが、女性の関わる内輪もめにはなるべく関与しないというのが僕の基本方針だし、それが「戦う女性たち」の関わる内輪もめともなればなおさらのことである。

僕が見るかぎりでは、このあたりのインディオの村では一般的に男性が昔ながらの農耕経済に携わるかたわら、女性が観光客を相手にするサービス産業に携わっている。昔ながらに男は畑を耕し、女は機《はた》を織りというところだが、その織られた布がお金になるのだということを知った女性たちの目は、否応《いやおう》なく、共同体の内部からだんだん外に向かって開かれていく。そしてそれがある場合には「戦う女性たちの協同組合」にまで発展することになるわけだ。もちろんこういうラディカルな方式がすんなりと行くわけはなく、先にも述べたように内部紛争があったり、あるいは従来の体制を維持しようとするカシーケ（地主）によって激しい圧迫と妨害を受けたりすることになる。「戦う女性たちの協同組合」運動がこの先どれくらいの成功を収めることになるのか、それはもちろんわからないけれど、山あいの小さな村々の中に女性たちが中心になった新しい種類の経済構造が少しずつ生まれつつあるというのは、否定しがたい事実だろう。新しい道路ができれば、それだけ観光客もやってくるし、観光客が増えれば、それだけ商品の動きも大きくなる。そしてそのような経済構造の変換は、農耕経済によって成立していたインディオの共同体の構造を大きく変えていくことだろう。それはおそらく避けることのできない歴史的な過程なのだという気がする。外部の歴史が、ようやく彼らに追いついてきたのだ。

チアパスを出てしまうと、もうそのような共同体的なインディオの村の姿を見ることもなくなってしまった。チアパスからそれほど遠くないラカンドンの深いジャングルの奥に住んでいた伝説のインディオたちも、今ではもうその本来の生活の場を失い、多くの人々は故郷を棄《す》て、仕事を求めて都会に出ていってしまった。飛行機から見下ろすとわかるけれど、ジャングルと言えるほどのものはもうほとんど残ってはいない。かつてその広大な大地を濃密な緑で覆《おお》っていた巨大なジャングルも、八五パーセントは既に伐採されてしまったといわれている。そこにあるのは、赤茶けた土がいたるところに露出した、痛々しいような熱帯雨林の残骸《ざんがい》である。

おそらくそのようにして、人々は共同の夢を見ることをやめていくのだろう。心を響かせ合うことをやめ、遠い声にじっと耳を澄ませることをやめていくのだろう。それはある意味では哀しいことであるという気がする。何故ならチアパスの深い山の中で僕が出会ったインディオたちはたしかに貧乏だったけれど、くっきりとしたひとつの価値観や世界観を持った誇り高い人々であったからだ。僕はべつに文化人類学者ではないし、ただ村から村へと何日か見物してまわっただけなので、結論じみた偉そうなことを言う資格なんて何もないのだけれど、これから先、外部のシステムがじわじわとそこに入り込んでいくことによって、彼らのそのような誇りが誇りとしてうまく機能しなくなり、従来の価値観が価値観としてうまく機能しなくなったときに、彼らの身に何が起こるのかと考えると、いささか暗い気持ちになってしまう。

メキシコ政府はインディオの生活施設の近代化に力を注いでいるし、それはそれでもちろん立派なことだと思う。彼らは道路を作り、学校を作り、医療施設を充実させる。それが開発の三つの大きな柱である。しかしそのような近代化はこれまでほとんど孤絶状態にあったインディオの村の構造を、そしてそこに属する人々の意識を大きく変えてしまうことになるだろう。

故郷の村から都会に出てきたインディオの青年の話を聞いたことがある。その青年は、故郷の村に暮らしているときには一度も飢えたことがなかった。貧乏な村ではあったけれど、飢えというものを彼は知らなかった。何故ならその村でもし彼がお腹《なか》を減らしているとしたら、誰かに「こんにちは」と挨拶《あいさつ》をすればよかった。すると相手はその声を聞いて「ああ、お前は腹を減らしているようだな。うちに来て御飯をお食べ」と言って、御飯を食べさせてくれたのだ。その「こんにちは」という言葉の響きかたひとつで、相手が空腹かどうか、からだの具合が悪いかどうかまでちゃんとわかってしまうのだ。そういう響き合う心の中で彼は育ったのだ。だから都会に出てきてまだ間もないころには、そのインディオの青年はお腹が減ると、いろんな人に向かって「こんにちは」と言ってまわった。でも誰も御飯を食べさせてはくれなかった。彼らはただ「こんにちは」と挨拶を返すだけだった。彼はお腹が減って声が出なくなるまで「こんにちは」と言ってまわった。でも誰も「うちに御飯を食べにおいで」とは言ってくれなかった。そしてそこでようやく彼は認識したのだ。ここでは誰も言葉の響きというものを理解しないのだと。

冷やかなこぬか雨の降るチアパスの山あいを何日か巡ったあとでは、ユカタン半島の風景はいやにフラットに見えた。空気はもったりとして暑く、人々の姿はどことなく物哀しく見えた。そして山を下りるのと同時に僕の耳は、それまでずっと感知しつづけていた何かひそやかな響きのようなものを失ってしまったように感じられた。それはちょっと不思議な感覚だった。

今でも、机に向かってこういう文章を書いているときに、ララインサールの村でお金が五百ペソ足りなかっただけで、僕の顔をいつまでもじいいいいいっと見つめていた綺麗な物売りの女の子の目を思い浮かべてしまう。そのときの彼女の目の中には、何かしら僕の心を揺さぶるものが存在していたように思う。誰かとそういう風に真剣に目と目を見合わせたのは、考えてみれば、僕にとってはものすごく久しぶりのことだった。五百ペソ（二十円）のお金をめぐって、僕らは長い時間、じっと相手の目の奥をのぞきこんでいたのだ。たった二十円くらいのことでとあなたは思うかもしれないし、僕もその時はそう思わないでもなかった。「仕方ないじゃないか。悪いけれど、今ポケットの中にはこれだけしかないんだから」と。でももちろんそれはお金の問題だけではないのだ。それは僕とその女の子とのあいだのコミュニケーションの問題であり、心の響きかたの問題であったのではないかという気がする。

　いつか大きくなって、あの女の子もまた「戦う女性」のひとりになるのかもしれないな、と思ったりもする。でもその頃にはおそらく、チアパス山中のインディオの村々もその様相を大きく変えてしまっていることだろう。

讃岐《さぬき》・超ディープうどん紀行

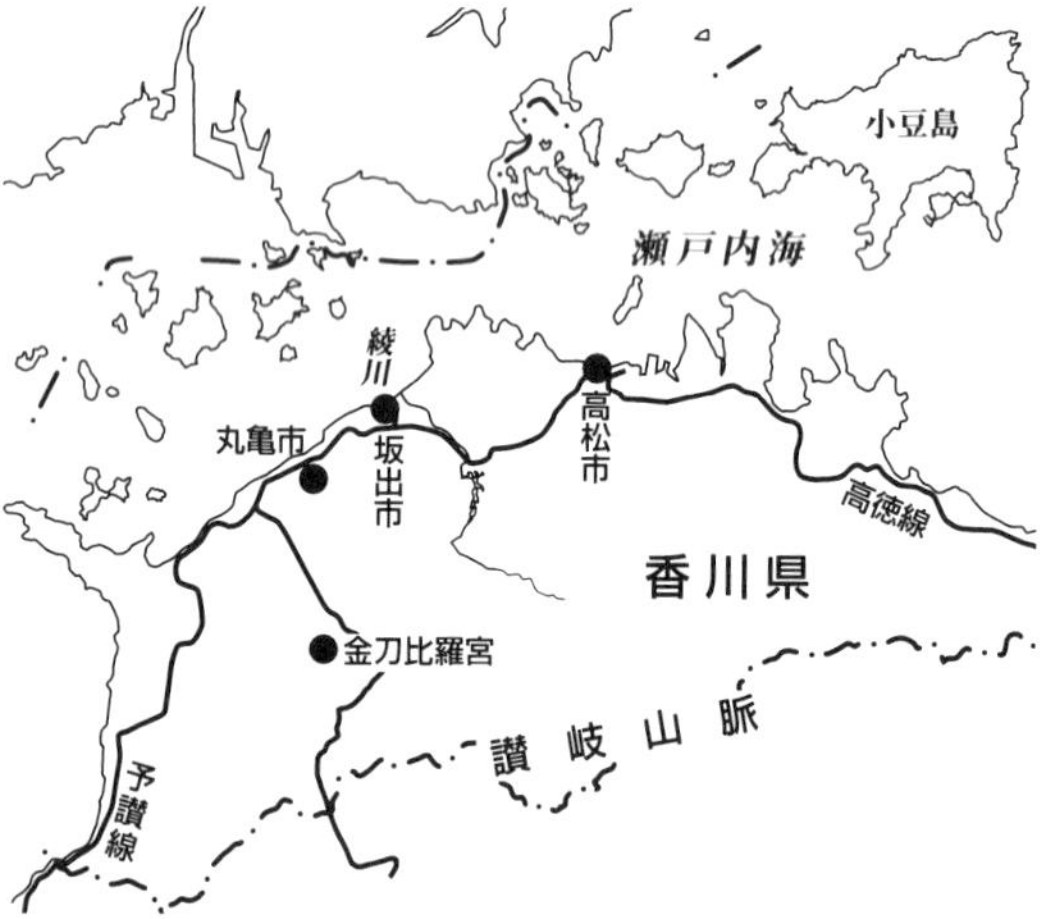
小豆島
瀬戸内海
綾川
丸亀市
坂出市
高松市
高徳線
香川県
金刀比羅宮
讃岐山脈
予讃線

90年10月。「ハイファッション」の若くて美人で知的な編集者（当時）マツオが僕に会うたびに故郷の讃岐うどんの自慢話をするので（ほかに自慢するものないのか？）、「じゃあ食べに行こうじゃないか」というところで話がまとまり、取材旅行することになった。同行者は安西水《あんざいみず》丸《まる》さん。三人でうどんをずるずると食べまくった。でもおいしかった。もう一回「中村うどん」に行ってみたいなと、ふと考えてしまうこの頃である。取材の合間に金《こ》刀《と》比《ひ》羅《ら》宮《ぐう》の階段を走って登ったのもよい思い出である。

あるいは、香川県という土地には他にもいろいろと驚くべきことがあるのかもしれない。しかし僕が香川県に行ってみて何よりも驚いたのは、うどん屋さんの数が圧倒的に多いことであった。うどん屋さん以外に何もないんじゃないかという気がしてくるくらい見事にうどん屋さんが多いのだ。寿司《すし》屋とかラーメン屋とか蕎麦《そば》屋とか、そういうものはほとんど見当たらない。どこを向いても、まるでメーデーの日の代々木公園に翻《ひるがえ》る旗みたいにぎっしりと、うどん屋またうどん屋である。旅行中朝から晩までずっとうどん屋の看板を見ていたような気さえする。

うどん屋以外の看板でかろうじて記憶しているのは、「他人《ひと》に親切にしましょう」というライオンズ・クラブの立てた看板と、「あそこ」という名前のスナックの看板くらいである。僕はあまり細かいことをあれやこれやと言いたてるのは好きではないが、それでも店の名前に「あそこ」なんてつける神経がよくわからない。だって「あそこ」と言えば「あそこ」のことじゃないか。これはやばいぜ、と思う。それから「他人《ひと》に親切にしましょう」だってかなりのものである。この看板は金刀比羅宮の近くの街角で見掛けたのだが、そんなこと出し抜けに言われても、僕だってものすごく困ってしまう。標語というのはもう少し限定されたメッセージに限ってほしいと思う。まったく四国のひとは何を考えているのか？

それはまあそれとして、なにしろ香川県にはうどん屋の数が多い。統計をとって人口一人あたりのうどん屋の数というのを出したら、香川県はまずまちがいなくぶっちぎりの全国一位になることだろう。

僕は正直に言って、「ハイファッション」という雑誌でこういう「四国うどんの旅」なんていうあまりファッショナブルとはいえない取材をしたことに対して、いささか申しわけなく思っている。どうしてかというと、讃岐うどんとファッションのあいだには、ほとんど何も関連性がないからである。本来からいえば、こういう企画は「太陽」だとか、「四季の味」だとか、あるいは十五歩くらい譲って「ミセス」だとかでやるべきものである。なのにどうして「ハイファッション」でやるかというと、担当のマツオ（マツオさん、女のヒト、敬称略）が香川県出身で、僕と顔をあわせるといつも（あるいは香川県出身者の話題は一般的にかなり限られているのかもしれない）うどんの話をしていたからである。僕ももともとうどんが好きなうえに、マツオがうどんの話をすると、とても美味《おい》しそうに聞こえる。話しているうちになんだかひどくうどんが食べたくなってくる。マツオなんてほとんどよだれと鼻水を一緒にずるずる垂らしながらうどんの話をする。じゃあどうせなら四国までうどん食べに行って、それを取材記事にしちゃおうじゃないかということになってしまったのである。実を言うと最初はコム・デ・ギャルソンのショーの記事を書いてくれないかという依頼だったのだが、そういうの俺よくわかんないからなあ、うどんのことだったら書いてもいいけどさ、なんて軽い冗談で言っているうちに、本当にうどんの取材になってしまったのだ。こういうのはもはや成り行き以外の何ものでもない。

それで安西水丸さんに「一緒に四国までうどんを食べに行きませんか」と声をかけたら、「ああ、いいですよ、行きましょう」ということになって、三人でぶらぶらと四国まで二泊三日の旅行に出かけた。時は秋、気候もいいし、のんびりと四国見物をしながら讃岐うどんを心ゆくまでたっぷり食べようという趣向である。十月も末だというのに、四国はTシャツ一枚でも汗ばむくらい暖かだった。

あるいは中には、うどん屋なんて全国どこに行ってもだいたい同じだろうと思われる読者もいらっしゃるかもしれない。しかしはっきり言って、その見方は間違っている。香川県のうどん屋のありかたは他の地方のうどん屋のありかたとは根本的に異なってい る。ひとことで言えばかなりディープなのである。ちょうどアメリカの深南部に行って、小さな町でなまずのフライを食べているようなそんな趣さえある。

小縣家《おがたや》

四国に着いて最初に入ったうどん屋では、店に入るとまずおろし金と長さ二十センチくらいの大根がテーブルに運ばれてきた。なんだなんだこれは、と思ってまわりを見ると、客がみんな真面目《まじめ》な顔をしてこしこしこしこしと大根をおろしているのである。しょうがないので、僕も大根を右手に持ち、おろし金を左手に持って、こしこしこしこしと大根をおろした。うどんを注文してからゆであがるまでに十五分くらいかかるので、手もちぶさたを解消するのにはいいけれど、でも店の中の客がみんなで大根をおろしているというのは情景的にかなり奇妙なものであった。大根をおろすというのは本質的に個人的な作業なんじゃないかなとふと思った。孤高な作業というほどのものでもないけれど、かといってあまり団体で揃《そろ》ってやるものではない。まあどうでもいいことだとは思うけれど。

おまけに大根が硬いので、おろすのにかなりの腕力と握力が必要とされる。僕はどちらかといえば腕力のあるほうだと思うけれど（「こういうときだけは役に立つんだから」とよく女房に言われる）、それでも息が切れた。去年ふたりそろって心臓発作を起こしたというような老人夫婦がここにうどん食べに来たら、いったいどうするのかしらんと、他人事ながらついつい心配になってしまう。

大根と一緒にすだちが運ばれてくる。テーブルの上には七味と葱《ねぎ》と生姜《しょうが》が置いてある。葱は関東風の白葱ではなく、柔らかく青い葱である。その他に胡麻《ごま》がある。蓋《ふた》をまわしてごりごりと碾《ひ》くようになっているやつ。それから醬油《しょうゆ》とチューブ入りの練りわさびと味の素《もと》。僕はこの取材中に十軒近くのうどん屋に入ったけれど、ほとんどの店に味の素が置いてあった。必須《ひっす》アイテムと言ってもいいだろう。香川県の多くの人はうどんに味の素をかけて食べるのである。こういうのもかなりディープである。

それからどうしてうどん屋に醬油が置いてあるのか疑問に思われる方もいらっしゃるかもしれない。これは、うどんにかけて食べるのである。つまり冷たいうどんが運ばれてくると、客はそこにじゃばじゃばと醬油をかけてそのまま食べてしまうのである。これは「醤油うどん」と呼ばれる。

せっかく四国まで来たのだからと思って、僕もこのディープな醤油うどんを試しに食べてみたのだが、これはけっこういけた。シンプルにして大胆、蕎麦でいうとちょうど「もり」の感覚である。古くなってのびてしまったようなうどんでは無理だが、打ちたての勢いのあるうどんに醤油をかけて、葱だけを薬味にしてつるつるつるつると食べる美味《うま》さには、思わず膝《ひざ》を打ってしまいそうな説得力がある。

このうどん屋さんは「小懸家」という店で、かなり有名なお店であるらしい。うどんの腰はちょっと硬めである。醤油うどんは大が四百円、小が三百円。東京の蕎麦屋の値段に比べると安いけれど、香川県のうどん屋の標準価格からいくと高い部類に入るかもしれない。店にはうどんの他におでんやらいなり寿司やらが置いてあって、食べたい人はそれをビュッフェみたいな感じで適当に取ってきて、うどんと一緒に食べる。これがおかずという感じになっている。どこのうどん屋でもだいたいこれと同じシステムを取っているようである。

まずこれが初心者むけのうどん屋。「なるほどね、こういう感じなんだ」という感覚を摑《つか》む。それからもっとぐっとディーパーな方面に移動する。

「小懸家」にて
ディープ
胡麻
七味
大根
味の素
しょう油
青いネギ
おろし金
練りワサビ
生ショウガ
みなさん
おろし金は
手もとに届きましたか
「こんなことは言いません」
いなり寿司
おでん
コロッケ
よし子
いなり寿司
食べるか
スダチ
イチロー
がんばんなさい
腰の入った
おろし金の
使い方
（観察ずみ）
この絵は空想で描いています、失礼

中村うどん

さて次に行ったのが丸亀《まるがめ》の近くにある「中村うどん」だが、ここは文句なしに凄《すご》かった。ディープ中最ディープのうどん屋である。ひどく交通不便な場所にあるうえに店の場所もわかりにくいので、一般旅行者にはまったくお勧めできないけれど、マニアックにうどんの好きな方には是非試していただきたいと思う。苦労して行くだけの価値のあるうどん屋である。

まずだいいちにこの店はほとんど田圃《たんぼ》のまん中にある。看板も出ていない。入口には一応「中村うどん」と書いてあるのだが、それもわざと（だと思うけれど）道路から見えないように書いてある。奥のほうまでぐるっとまわりこんでいかないと、それがうどん屋であるとは絶対にわからないような仕掛けになっている。かなり偏屈そうなうどん屋である。僕らはタクシーで行ったのだが、運転手さんも「へえ、こんな場所にうどん屋があったんやなあ。知らんかったなあ」と驚いていた。

店はひどく小さい。うどん屋というよりはむしろ建設現場の資材小屋みたいに見える。間にあわせみたいな小さなテーブルがいくつか並んでいるだけである。「中村うどん」を経営なさっておられるのは中村さん親子である。でも僕が店に入ったときには店の中には親の中村さんも子の中村さんもいらっしゃらなかった。お湯をはった大きな釜《かま》の前で、おっさんがひとりでしょっしょっしょっとうどん玉をゆがいているだけだった。僕はこのおっさんがたぶん中村父子のどちらかだろうと思って声をかけたのだが、「ちゃうちゃう、わしは客や」と言われた。ここの店では客が並べて置いてあるうどん玉を勝手にゆがいて、だし汁なり醬油なりをかけて食べ、勝手に金を置いて出ていくのである。すげえところだなと思ったけれど、郷に入れば郷に従えで、僕らも勝手にうどん玉を自分でゆがいてだし汁をかけて食べる。丼《どんぶり》を持って外に出て（店の中は狭いので）、石の上に腰掛けてずるずるとうどんを食べる。時刻は朝の九時過ぎである。天気もいいし、うどんも美味しい。朝っぱらから石の上に腰掛けてうどんをずるずるすすっていたりすると、だんだん「世の中なんかもうどうなってもかまうもんか」という気持ちになってくるから不思議である。僕は思うのだけれど、うどんという食べ物の中には、何かしら人間の知的欲望を摩耗させる要素が含まれているに違いない。

そのうちに中村父が出てくる。中村子も出てくる。中村父が新しくうどんを捏《こ》ねて打っているあいだに、中村子のお話をうかがうことにする。もう十八年うどん屋をやっとるなあ、と中村子は言う。その前は養鶏場やっとったんやけどなあ、前に製材所ができてうるそおなってなあ、鶏が卵産まんようになってしもうてなあ、そいでうどん屋始めたんや、ということであった。養鶏場から突然うどん屋に商売変えするという発想も大胆だと思うのだが、あるいはこういうのも香川県ではそれほど不自然なことではないのかもしれない。しかしそう言われてよくよく見てみると、うどん屋になっている建物はなんとなく鶏小屋のようなかたちをしている。

うどん屋の建物の裏は畑になっていて、そこには葱が植えてある。お客の証言によると、昔「おっちゃん、葱がないで」と文句を言ったら、「やかましい、裏の畑から勝手に取ってこい」と中村父に叱《しか》られたそうである。とにかくワイルドなうどん屋なんやがな（と僕もだんだんなまってくる）。そうこうするうちに中村父が新しいうどんを打ち終える。そしてそれをさっとゆがいて、葱と醬油をかけて食べさせてもらう。これは見事に美味しい。さっき食べたうどんもかなり美味しいと思ったけれど、この打ちたてのうどんの香ばしさと腰の明快さに比べたら、ランクがひとつ違う。まさに痛快アル・デンテである。このうどんは今回の取材旅行で食べた沢山のうどんの中でもまさに珠玉のひと玉であった。「中村うどん」に行って、できたてのうどんに巡り合えた人は幸せ者と言うべきであろう。

「中村うどん」ではうどんは二本の足で踏んで捏ねる。捏ねる機械がないと保健所は営業許可をくれないから、開店のときにはいちおう中古の機械を入れて置いておくけれど、その検査が終わってしまうとあとは機械なんか使わないで、ずっと人間の足で踏んで作

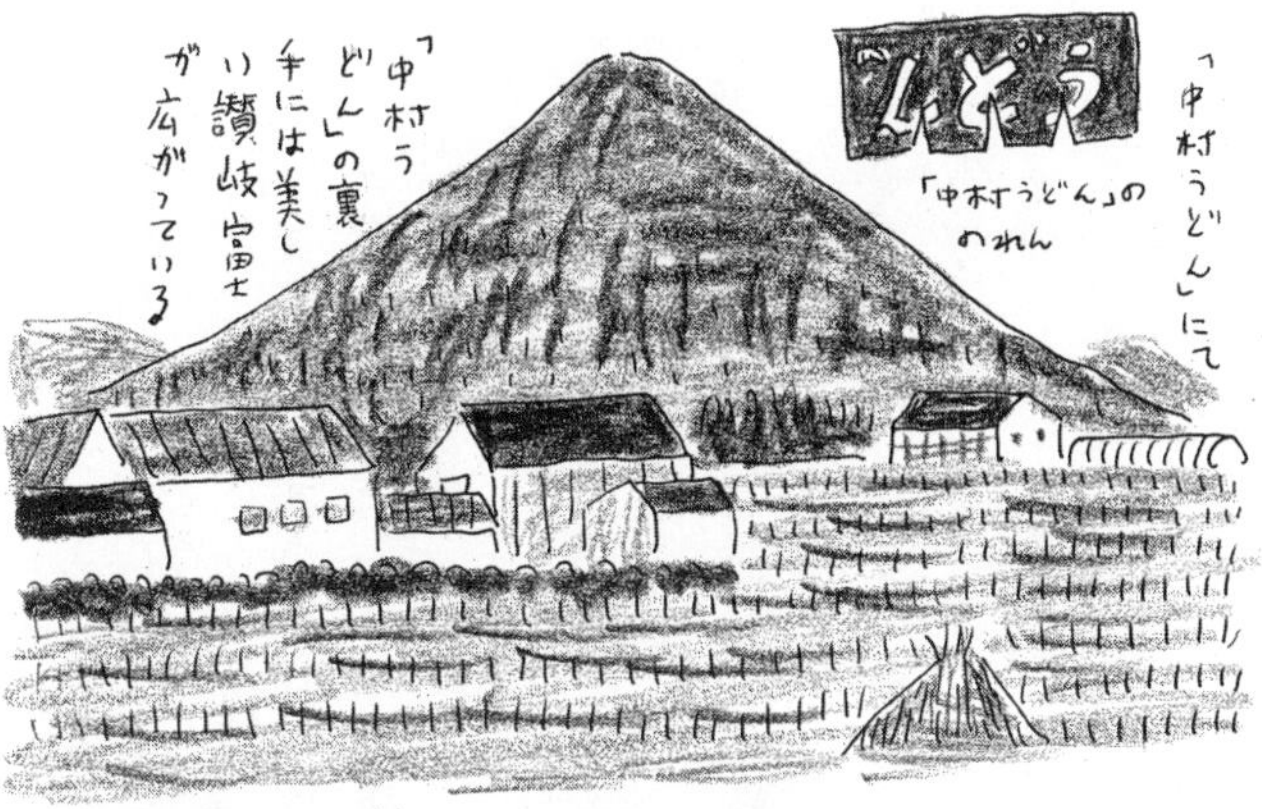

「中村うどん」にて
うどん
「中村うどん」ののれん
「中村うどん」の裏手には美しい讃岐富士が広がっている

店の裏手はネギ畑
もくもくと仕事をする中村親
編集者のマツオ
インタビューに答える中村子
（なかなか粋な人だ）
「中村うどん」の中庭にて

っている。「そうせんと美味《うも》ないねん」と中村子はきっぱりと断言する。はっきり言って、ここの父子は見かけも発言内容も営業方針も、かなり偏屈で過激である。でもうどんは文句なく美味しい。しかし東京弁で「そうしねえとうまくねえんだ」と言われると、「へえ、そうかよ」と茶々を入れたくなるけれど、「そうせんと美味《うも》ないねん」と言われると、そのアーシーなパワーにただただかしこまってしまうしかないような気がする。

テーブルの上には葱、生姜（自分でおろす）、七味、味の素、ヤマセ醬油（薄口琴平《ことひら》産）、が置いてある。うどんに入れる具としては、ちくわ、てんぷら、はんぺんがある。てんぷらは中村子が自分で揚げている。うどん玉は小がひと玉八十円だから、かなり安い（持ち帰りは五十円）。ひとりだいたい五玉くらい食べていくなあということであったが、僕は香川県民ではないので、三玉食べればふつうは充分ではないかという印象を持った。客はだいたいが固定客で、ここのうどんを食べるためにわざわざ遠くからやってくる人も多いということである（「遠くから」といってももちろん帯広とか那覇《なは》とかから飛行機で来るわけではなく、あくまで隣町とかそのへんである）。食べる人の好みによって卵とか大根とかの持ち込みも自由。酒は出さないが、これもなんとなく持ち込み自由という雰囲気である。こんな変わったうどん屋はちょっと他にないと思う。しかしわざわざ大根をさげてうどんを食べに来るかね。

山下うどん

この店は綾《あや》川という川のほとりにあって、店の前には昔粉を碾くのに使っていた水車が残っている。ここも看板が出ていない。入口の脇《わき》に「郵便局集配職員休憩所」という札がかかっているだけである。香川県の郵便局員はみんなうどん屋で休憩するのかもしれない。そういえば話で聞いたのだけれど、東京から香川県に転勤してきたサラリーマンが仕事のあとで上役に「どや、一軒いこか」と誘われて、バーかカラオケかと思って行ったらうどん屋で、ふたりでずるずるとうどんを食べてそれでおしまいというようなことが実際にあるらしい。微笑《ほほえ》ましい土地柄というべきであろう。

「山下うどん」はだいたいが製麺所《せいめんしょ》で、うどんを食べさせるのはちょっとしたサービスのようなものである。うどんを買いに来た人が「うどん食べさせてえな」と言うので、なんとなくテーブルを置いてお湯を沸かして、醬油とだし汁を置いておくという感じで商売が始まったのである。だからテーブルのすぐ横には製麺機械がずらっと並んでいる。香川県にはこういううどん屋つき製麺所というのが多い。東京で言うと、店先でサンドイッチを作ってコーヒーも出すパン屋という感じである。簡単なデコラ張りのテーブルが二つ、パイプ椅子《いす》が十三か十四というところである。胡麻、生姜、味の素、醬油、葱と、必須アイテムはちゃんと揃っている。うどんは一玉百円、ちくわのてんぷらは七十円である。製麵所で作ったばかりとあって、さすがにうどんは美味しい。昔風のかまどに大きな釜がかかっていて、木の皮を燃料にして、お湯がぐつぐつと煮えている。

御主人の山下さんにお話を聞く。戦後は国内物の小麦が減ってしもうて、味も変わりましたなあ。私が子供のころはそのへんでとれた小麦を碾いてうどん作りよったけど、これは美味かったです。今では小麦のほとんどはオーストラリア産のものです。

しかし輸入物といっても、日清製粉は香川県にだけは特別な配合をした小麦粉を出荷している。というのは香川県の人はことうどんに対してはきわめて厳しい基準を持っているので、普通の全国向けの配合のものではユーザーからクレームがくるのだそうだ。僕も見せてもらったけれど、香川県むけの小麦粉の袋にはたしかに㊁マークが印刷されている。徹底している。

がもううどん

うどんに次ぐうどんで、さすがにだんだんおなかが苦しくなってくるが、次の「がもううどん」に移る。「これだけうどん食べるとけっこう苦しいね」と水丸さんも言う。そりゃ僕だってそろそろうどん以外のものを食べたいと思う。できたらカレーライスなんかがちょっと食べたい。でもとことんうどんを食べるという目的の取材で四国まで来たんだから、後悔しても今更遅い。こうなったら体力のつづく限りうどんを食べつづけるしかない。それで「がもううどん」。

純粋にロケーションから言うと、僕はこのお店がだんぜん気に入っている。このお店は文字通り田圃の真ん前にある。店の外に置かれた縁台に腰掛けてうどんを食べると、目の前に稲田がざあっと広がっている。季節は秋だから、稲の穂が風にさわさわと揺れている。すぐ前には小さな川が流れている。空はあくまで高く、鳥の声が聞こえる。かけが八十円、大は百四十円。おかずとしてコロッケと卵がテーブルの上に置いてある。うどんはもちろん美味《お》し《い》い。土地の人にここはという店を紹介してもらってまわっているわけだから、うどんの美味さに関してはどれも水準を越えた店ばかりである。水丸さんはおかずのコロッケを食べる。「なかなか美味しいよ、これ」ということであった。店の隅のガスコンロの上では竹の子の煮物がぐつぐつと音を立てている。地元の人がちょっと寄ってうどんをずるずると食べるという感じのかなりローカルな店で、いかにも親密な雰囲気がある。マツオも今でこそ「ハイファッション」に勤務してコム・デ・ギャルソンだイッセイだと偉そうなことを言って騒いでいるけれど、高校時代は学校の帰りにこういううどん屋に寄って、鼻水をたらしながらうどんをすすっていたのであろう。

このあたりでうどんを食べるのはちょっと一服して、香川大学農学部教授でうどんの権威である真部正敏先生に会いにいく。「いったい何の取材ですか？ ハイファッションン？」といぶかる先生を教授室に訪ねて、うどんの話をうかがう。先生は讃岐《さぬき》うどん研究会の会長をつとめておられ、「讃岐うどん」といういささか即物的なタイトルの、しかし立派な会報を出版なさっておられる。先日は中国までいって麺類の交流をなさったというからたいしたものである。この会報もなかなか面白い読み物になっている。もっともこの雑誌を読んでいると、香川県人はひょっとしてうどんのこと以外まったく何も考えていないんじゃないかと思えてしまうところが、難点といえばあるいは難点かもしれないけれど。

先生の話によれば現在讃岐うどんに使われている小麦はオーストラリア産のASW（オーストラリア・スタンダード・ホワイト）という品種である。これはオーストラリア人がうどん用に品種改良をおこなって、日本マーケット向けに特別に生産している小麦である。香りもあり、腰が強く、味がまろやかで、非常に優れた特性を持っている。おまけに原価が国内産のものよりずっと安いので、あっというまに日本の市場を席巻《せっけん》してしまった。それが昭和五十年代の半ばのことである。僕もいろんなうどん屋さんで原料の小麦粉の袋を見せてもらったけれど、どこも全部同じブランドの小麦粉を使っていた。だから正確に言えば、ASW導入以前の讃岐うどんと、それ以降の讃岐うどんとでは味も変化しているはずである。実際「山下うどん」の御主人は、「そら昔のほうが美味かったわな」とおっしゃっておられた。

しかし真部先生は必ずしもその意見には与《くみ》しない。「味というのは記憶に基づくものですし、どちらが美味いとか、味がどう変わったとかは私にはいちがいには言えない」ということであった。たしかにそれも一理ある。こういうのは香川県内でもいろいろと論争を呼んでいる話題ではないかと思う。あるいは首長選挙の論点になっていたりするのかもしれない。

しかしいずれにせよ、日本じゅうどこで食べても同じようなうどんの味というのはいささかつまらないんじゃないかと、僕も思う。前にも書いたように香川県向けの小麦の品質が一ランク上のものであるという事実はあるにしても、それでもやはり讃岐うどんには讃岐うどんにしかない確固とした独立性があってしかるべきだと思う。これほど深く——篤《あつ》い信仰心にも似た熱情を持って——うどんを愛している県民は日本国中さがしたって絶対にいないんだから。僕は思うのだけれど、もしある日オーストラリアと日本とが何かの事情で国交断絶をして、小麦粉の輸入が全面的にストップし、うどんというものが一切なくなってしまったら、少なくとも香川県では人民革命が起こるのではないだろうか。

真部先生にはいろいろとうどんに関する興味深い学術的なお話をうかがったのだが、それほどスペースがないので、次なるうどん屋さんに移る。うっぷ。

久保うどん

この店も製麺所が直接経営するうどん屋だが、高松市内にあるだけあって、他の同種の店に比べるとうどん屋としての体裁はいちおうちゃんと整っている。外から見てもちゃんとうどん屋の格好をしている。僕らがうかがったのは朝の九時過ぎであったが、すでに店内はお客でいっぱいであった。朝御飯にうどんを食べる人が多いので、香川県のうどん屋さんは朝が早いのだ。ここのだし汁はいりこの味がぷんと匂《にお》ってなかなか美味しかった。御主人にお話をうかがうと、いりこのだし汁というのは引き上げるタイミングがなかなかむずかしいんですわということであった。ここではかけとざるがだいたい半々で出るということである。

見ているとお客はみんな非常にビジネス・ライクにうどんを食べる。だいたい男一人で入ってきて、手短に注文し、適当にコロッケなりいなりなりをカウンターから取り、馴《な》れた手つきで薬味を添え、寡《か》黙《もく》につるつるつると食べ、食べ終えると代金を置いてさ

「山下うどん」にて
今年はなかなか涼しくならないな
「山下うどん」の御主人
「がもううどん」にて
うどん がもう
ふう〜っ
ふう〜っ
ぼくたちの前には田園が広がりなかなかの景観である
小川が流れている
「久保うどん」にて
いりこの出汁というのは引き上げるタイミングが……
朝九時の店に客がいっぱいだった
いなり寿司 一皿八十円
コロッケ天ぷら 一つ八十円

っと出ていく。すごくハードボイルドだ。フィリップ・マーロウも香川県に生まれていたら、きっとこんな風にうどんを食べていたに違いない。強くなくてはうどんは食えない。優しくなくてはうどんを食う資格はない——かどうかまでは知らないけど。まあとにかく。

ここは小玉が百二十円、大玉が百九十円、特大が二百六十円であった。

他にもまだいろいろとうどん屋さんをまわったのだが、いちいち全部書いているときりがないので割愛。なんだか一年分のうどんを三日で食べてしまったような気分がしたくらいいっぱいうどんを食べた。「私なんかもう鼻からうどんが出てきちゃいそうだわ」とマツオは言う。マツオは取材中ひどい風邪をひいてずっと鼻をかんでいたから、本当に一、二本は出たのかもしれない。

しかしそれはそれとして、香川県のうどんはあらゆる疑いや留保を超越して美味しかったし、この旅行を終えたあとでは、うどんというものに対する僕の考え方もがらっと変わってしまったような気がする。僕のうどん観にとっての「革命的転換があった」と言っても過言ではない。僕は以前イタリアに住んでいたころ、トスカナのキャンティ地方を何度となく旅行し、ワイナリーを訪ねてまわって、その結果ワインというものに対する考え方ががらっと変わってしまった経験があるけれど、このうどん体験はそれに匹敵するものであったと思う。

香川県のディープサイドで食べたうどんにはしっかりと腰の座った生活の匂いがした。ああ、ここの人たちはこういうものをこういう風に食べて暮らしているんだなあというしみじみとした実感があった。香川県の人々がうどんについて話をするときには、まるで家族の一員について話しているときのような温《ぬく》もりがあった。誰もがうどんについての思い出を持っていて、それを懐《なつ》かしそうに話してくれた。そういうのってなかなかいいものだし、またそういう温もりが美味《うま》みを生むのだと僕は思う。

しかし「中村うどん」は凄《すご》かったよな。

ノモンハンの鉄の墓場

ロシア連邦
新巴爾虎左旗
(シンバルクサキ)
満州里
ハイラル
ノモンハン村
チョイバルサン
スンブル
ハルハ河
ハルビン
ウランバートル
長春
モンゴル国
内モンゴル自治区
日本海
北京
大連
中華人民共和国

94年6月。『ねじまき鳥クロニクル』第二部でノモンハンと満州のことを書いたら、雑誌「マルコポーロ」から、実際にそこに行ってみませんかという話が来た。僕もかねがね行きたいと思っていたところだったので、すぐに引き受けた。かなりの辺境だったので、人民解放軍やモンゴル軍の宿舎に泊めてもらいながら旅をした。個人で簡単に行けるところではない。同行者は松村映三君。単行本の表紙に使った写真（次ページ）は、僕の持参した「現場監督」という簡単なカメラで、「ちょっと記念写真撮ってよ」と言って撮ってもらったものである。臼砲弾《きゅうほうだん》の破片はまだ大事に持っている。しかし羊づくしの食事には閉口した。

ノモンハン戦争の跡地にうち捨てられていたソビエト軍の中型戦車。

大連《だいれん》からハイラルへ

　ずっと昔、小学生の頃に歴史の本の中で、ノモンハン戦争の写真を目にしたことがあった。今でもはっきりと覚えているけれど、そこには奇妙にずんぐりとした古っぽい戦車と、これもまた奇妙にずんぐりとした古っぽい飛行機の写真が載っていた。そして一九三九年の夏に、満州駐屯の日本軍とソビエト・モンゴル人民共和国（外モンゴル）連合軍とのあいだに、満州国国境線をめぐる激しい戦闘があり、日本軍が大きな被害を受けて撃退されたという短い記述があった。それはその二年後に勃発《ぼっぱつ》した太平洋戦争に関する派手な記述に比べると、「ほんのちょっとしたエピソード」といった程度の短い記述だったのだけれど、それ以来どういうわけか、僕の頭にはこのノモンハンでの戦争（それは正式な宣戦布告がなかったために、長いあいだ「ノモンハン事件」という中途半端《はんぱ》な名前で呼ばれ続けてきたわけだが、事実は熾烈《しれつ》きわまりない本物の戦争だった。

モンゴル側の呼称は「ハルハ河戦争」）の情景が鮮烈に焼きついてしまったようだった。

それからも、ノモンハンでの戦争について書かれた本が目につけば手にして読んでいたのだが、残念ながらその数は決して多いものではなかった。しかし四年ばかり前にわけあってアメリカに住むようになり、僕の属していた大学の図書室をあてもなくぶらぶらしているときに、書架にノモンハン戦争に関する古い日本語の書籍がけっこうたくさん並んでいるのを見つけることになった。べつに「運命的な邂逅《かいこう》」というほどのものでもないが、それにしても人間というのは妙なところで妙なものにぶつかるものである。とにかくそれらの本を借り出して暇にまかせて読んでいたわけだが、その結果僕は、モンゴルの名もない草原で繰り広げられたその血なまぐさい短期間の戦争に、自分が今でもやはり子供の頃と同じように激しくひきつけられていることに気がついた。どうしてなのかその理由はよくわからない。でもとにかくそうなのだ。

ノモンハン戦争について驚異的なばかりに細部まで詳述した大著『ノモンハン』を著したアメリカ人の戦史家アルヴィン・D・クックスも、その前書きの中で同じことを書いている。自分は若い頃ある日アメリカの新聞記事の中でノモンハンでの戦争に関する短い報道記事を読んで、それ以来「どうしてかはわからないけれど」その戦争に取り憑《つ》かれてしまったのだと。その気持ちは「どうしてかはよくわからないけれど」僕にもよくわかる。

でも僕はプリンストン大学の図書室で、ノモンハン戦争に関する書籍を何冊も読んでいるうちに、そしてその戦争の実態が頭の中に比較的鮮明に浮かび上がってくるにつれて、自分が強くこの戦争に惹《ひ》かれる意味のようなものが、ぼんやりとではあるけれど把握できるようになってきた。それはこの戦争の成り立ちがある意味では「あまりにも日本的であり、日本人的であった」からではないのだろうかと。

もちろん太平洋戦争の成り立ちや経緯だって、大きな意味あいではどうしようもなく日本的であり日本人的であるわけなのだが、それはひとつのサンプルとして取り出すにはスケールがあまりにも大きすぎる。それは既に、ひとつのかたちを定められた歴史的なカタストロフとして、まるでモニュメントのように我々の頭上に聳《そび》えたっている。でもノモンハンの場合はそうではない。それは期間にして四カ月弱の局地戦であり、今風に言うならば「限定戦争」であった。にもかかわらずそれは、日本人の非近代を引きずった戦争観＝世界観が、ソビエト（あるいは非アジア）という新しい組み替えを受けた戦争観＝世界観に完膚《かんぷ》なきまでに撃破され蹂躪《じゅうりん》された最初の体験であった。しかし残念なことに、軍指導者はそこからほとんどなにひとつとして教訓を学びとらなかったし、当然のことながらそれとまったく同じパターンが、今度は圧倒的な規模で南方の戦線で繰り返されることになった。ノモンハンで命を落とした日本軍の兵士は二万足らずだったが、太平洋戦争では実に二百万を越す戦闘員が戦死することになった。そしていちばん重要なことは、ノモンハンにおいても、ニューギニアにおいても、兵士たちの多くは同じようにほとんど意味を持たない死に方をしたということだった。彼らは日本という密閉された組織の中で、名もなき消耗品として、きわめて効率悪く殺されていったのだ。そしてこの「効率の悪さ」を、あるいは非合理性というものを、我々はアジア性と呼ぶことができるかもしれない。

戦争の終わったあとで、日本人は戦争というものを憎み、平和を（もっと正確にいえば平和であることを）愛するようになった。我々は日本という国家を結局は破局に導いたその効率の悪さを、前近代的なものとして打破しようと努めてきた。自分の内なるものとしての非効率性の責任を追及するのではなく、それを外部から力ずくで押しつけられたものとして扱い、外科手術でもするみたいに単純に物理的に排除した。その結果我々はたしかに近代市民社会の理念に基づいた効率の良い世界に住むようになったし、その効率の良さは社会に圧倒的な繁栄をもたらした。

にもかかわらず、やはり今でも多くの社会的局面において、我々が名もなき消耗品として静かに平和的に抹殺されつつあるのではないかという漠然とした疑念から、僕は

（あるいは多くの人々は）なかなか逃げ切ることができないでいる。僕らは日本という平和な「民主国家」の中で、人間としての基本的な権利を保証されて生きているのだと信じている。でもそうなのだろうか？　表面を一皮むけば、そこにはやはり以前と同じような密閉された国家組織なり理念なりが脈々と息づいているのではあるまいか。僕がノモンハン戦争に関する多くの書物を読みながらずっと感じ続けていたのは、そのような恐怖であったかもしれない。この五十五年前の小さな戦争から、我々はそれほど遠ざかってはいないんじゃないか。僕らの抱えているある種のきつい密閉性はまたいつかその過剰な圧力を、どこかに向けて激しい勢いで噴き出すのではあるまいか、と。

　そのようにニュージャージー州プリンストン大学のしんと静まり返った図書室と、長春からハルピンに向かう混雑した列車の中というまったくかけ離れた二つの場所で、僕は一人の日本人としてだいたい同じような種類の居心地の悪さを感じ続けることになった。さて、我々はこれからどこに行こうとしているのだろう？

　今回僕と写真の松村君は二週間かけて、ノモンハンの戦場を前半は中国の内モンゴル自治区側から、後半はモンゴル国側から訪れた。本来ならノモンハン村のちょっと先にある国境をひとまたぎすればそこはもうモンゴル国（以下モンゴルと略）のハルハ河なのだが、残念ながら今のところは両国の思惑が複雑にからみあってそう簡単にはことは運ばず、遠路はるばる北京に戻ってそこから飛行機でウランバートルまで飛び、またわざわざ中国国境までジープの長旅をするというえらい回り道をする羽目になった。そういう意味では、このあたりは政治的にまだけっこう「ややこしい」のである。中国とモンゴルの関係は近年ずいぶん改善されたが、国境あたりの民族問題は重く静かな火種を抱え込んでいるわけだ。

実をいうと中国に行ったのはまったく初めてだったのだが、成田から直接大連に飛ぶとたった四時間しかかからない。十時間以上かけてアメリカ東部に行き来することを思うと、これはもう国内旅行というくらいのあっけない感覚である。しかし「え、もう着いちゃったの？」と言いたくなるような短時間の移動のわりには、その感覚的なギャップには激しいものがある。大連から便所にも立てないくらい満席の、まさに中国的混乱の極致とでもいうべき「硬座」（三等車）に詰め込まれ（本当は長春までは飛行機で行く予定だったのだが、とくに理由もなくフライトがキャンセルされ、突如汽車に乗ることになったのだ）、一晩十二時間揺られてくたくたになって長春駅に到着する頃には、脳味噌《のうみそ》の組織がまわりのダイナミックな情景にあわせてずいぶん大幅に組み換えられてしまったような気がした。

中国という国を初めて目にして、まず最初に仰天するのは人間の多さである。日本だってもちろん人が多いのだけれど、これは国土そのものが狭いのだから筋が通っているといえなくもない。こんなに狭いところに住んでいるのだから、多少混みあうくらいはお互い我慢しなくちゃなと思う。でも中国の場合はそうではなくて、国が馬鹿《ばか》みたいに広いうえに（広いくせに）、人口もまたそれを埋め尽くすくらい多いのである。どこを向いてもほんとうに人間ばかりで、人間のいない情景というのがまったくない。こういう言い方はあるいは誤解を招くかもしれないけれど、僕なんかは「南京大虐殺《だいぎゃくさつ》」とか「万人坑」というような戦争中の中国大陸における大量虐殺事件を扱った本を日本で読んでいると、ことの経緯は頭で一応把握できても、数のスケールという点で今ひとつぴんと来ないところがある。いくら人をまとめて殺すといっても、現実問題としてほんとうにそんなに沢山人間を殺すことができるのだろうかと実感的に首をひねってしまうのだ。あるいは日本の読者の多くも、僕と同じような感想を抱かれるのではあるまいか？

でも実際に中国に来て、公園の片隅なり、駅の待合室なりに座ってまわりを行き来する人々の姿をぼんやりと眺めていると、確かにそれくらいのことは実際にあったのかもしれないなとふと思うことになる。とにかくそれくらい人の数が多いのだ。どこからともなく、うようよと人が現われてくる。それは何も都会だけではなくて、田舎に行っても同じことだ。交通機関は、たとえそれがどのような種類の乗り物であれ、宿命的に殺人的に混んでいるし、町を行く人たちはところかまわず吸いがらを捨てたり、唾《つば》を吐いたり、怒鳴ったり、やたらものを買ったり売りつけたりしている。そういう光景を長い時間眺めていると、そのうちに数量的な感覚が一桁《けた》分くらいあっけなく違ってくるんじゃないかという怖さのようなものを感じてしまうし、あるいは中国にやってきた日本兵の感覚を根本的に狂わせたのも、そのような圧倒的な物理的数量の違いだったのではあるまいかという気さえしてくるのである。

大連の街では意外にも、メルセデス・ベンツの姿がやたら沢山目についた。それも190というような穏やかなものではなくて、500、600といった大型のものが多い。いったいどのような種類の人々がそんな車に乗っているのか、僕にはちょっと見当がつかない。それ以外にもアウディだとか、トヨタ・クラウンといった大きな車ががんがんと走っている。しかしいずれにせよ道路状況は最悪に近く、車はみんな自分の走りたいように走るし、人はみんな自分の歩きたいように歩いている。そういう流れについて行けるようになるまでに、ずいぶん時間がかかった——というか、僕はとうとう最後までついて行けなかった。僕はこれまでローマやイスタンブールやニューヨークといったかなり交通的にケイオティックな場所でもとくに不自由もなく車を運転してきたのだが、それでも中国の都市交通の桁外れなラディカルさには実に圧倒されてしまった。言葉を失ってしまった。こんなところでとても運転なんかしたくない。

「どうして信号が街にほとんどないのか」と中国人に尋ねると、「そんなの無駄ですよ。信号なんてあっても誰も守らないから」という答えがきまって返ってくる。「まあ、みんながちゃんと信号を守れば、渋滞だってもっと少なくなるんだけどね」とみんな他人《ひと》事《ごと》のように言うのだが、誰も自分からそんなものは守ろうとはしない。車はあたりが暗くなってもライトをつけないし（視力がいいからという説と、電気代を節約しようとしているという説がある）、横断歩道があっても警告的にクラクションを鳴らすだけでまったくスピードは落とさないし、あまりにも怖いので日が暮れたあとは僕はホテルから一歩も外に出なかった。そして太陽が出ているあいだは、街の至るところでメルセデス・ベンツと自転車の接触事故と、それに付随する群衆を巻き込んだ大がかりな口論を目にすることになった。

世界中の自動車会社が、中国を残された唯一《ゆいいつ》の大型市場として虎視《こし》眈々《たんたん》と狙《ねら》っているようだが、もしこれ以上中国の大地を走る車の数が増えたとしたら、そこに現出するのはおそらく桁違いの悪夢（中国に関するものはだいたいみんな桁違いになる傾向があるようだ）だろう。だって今のままでももう充分「通常の意味での」悪夢と呼ぶに相応《ふさわ》しいものなのだから。しかし人々がとくにそれを悪夢として捉《とら》えている様子もないところからみると、このままいけば遠からずして中国全土が、ヴェトナム国境から万里の長城にいたるまで、交通渋滞と大気汚染と煙草《たばこ》の吸いがらとベネトンの看板で埋めつくされてしまうのは、大いなる歴史的必然というか、まず間違いのないところではないか。

長春はもと満州国の首都新京で、この街では僕はちょっとわけあって動物園の取材をすることになった。この動物園は「新京動物園」（日偽時期称）として一九四一年に開設されたのだが、四五年のソビエト軍の侵攻とともに閉鎖された。そしてそのまま廃墟《はいきょ》同然の公園になっていたのだが、一九八七年に長春市当局の手によってまた動物園として復興することになった。今では正式には「長春動植物公園」と呼ばれている。主な動物としては、虎《とら》、パンダ、サイ、象、猿、シマウマなどがいる。しかしまだ開園して間もないせいか、動物の数はそれほど多くはない。おまけに敷地がやたら広大なので、ひとつの動物のエリアから、別のエリアにたどり着くまでにけっこう疲れてしまう。僕は動物園が好きなので、旅行のついでに世界中のいろんな動物園を訪れたが、これくらい「動物密度」の低い動物園は初めてである。そこにいる動物を一応全部見ようとすると、くたくたに疲れてしまうことになる。僕らはとうとうパンダの檻《おり》をみつけることができなかった。途中で会った若い男にパンダはどこでしょうと尋ねると、「俺だってずいぶん探しまわっているけどまだみつからないんだ」と憮然《ぶぜん》として言っていたから、これは地元の人でもけっこう大変なのだろう。

虎はずいぶん広い岩山のような場所で飼われていて、虎のほうは見るからにゆったりと気持ち良く暮らしているようなのだが、見物するほうは遥《はる》か遠くから眺めなくてはいけないし、双眼鏡でも使わないかぎり虎たちの姿は非合理なくらい小さくしか見えない。しかし虎山の後ろのほうにまわってみると「抱虎照像」と書かれた看板が立っていて、何かと思うとこれは「虎の子を抱いたところの写真を撮ってくれる」ということなのである。料金を尋ねてみると、自分のカメラで写真を撮るのなら十元でよろしいと言う。十元と言えばなにしろ百三十円くらいである。虎穴に入らずんば虎児を得ず、という言葉があるけれど、百三十円出せば虎穴に入らずして本物の虎の子が抱けるんだから、これはすごい。さすがに中国である。

でも飼育係が連れてきた「虎の子」を目にして、僕はいささか慌《あわ》てた。予想していたより遥かに大きいのである。僕はせいぜい大きな猫くらいだろうと高をくくっていたのだが、そこにいるのは紛れもない小型の虎である。前足だって僕の腕よりずっと太い。

牙《きば》だってちゃんと一人前にはえている。嚙《か》まれたらずぶっと穴が開きそうである。「おい、ほんとうにこんなもの抱くのかよ」と思ったけれど、自分から言いだしたことなので今更あとには引けない。飼育係に「嚙みませんか」と聞いたが、「大丈夫、心配ないよ」と言うばかりである。でも僕の短い滞在経験から言っても、中国人の「大丈夫、心配ないよ」というのはけっこう心配なものなのである。実際抱いてみると、虎は案の定首を後ろにまわして僕を嚙もうとする。「中国まで来て虎に嚙まれたりしたらたまんねえな」と思いながら、必死の力で後ろからばたばたと暴れる虎を抱え込んで写真を撮ってもらった。トルコの山奥でクルド人のゲリラに取り囲まれたときも、メキシコで射殺死体らしきものを見かけたときもたしかに怖かったけれど、この虎を抱いているときもかなり怖かった。そのときの写真を見ると、ひどくひきつった顔をしていることがわかる。中国の動物園というのは、中国のほかのいろんなものと同じくらい、我々の想像を越えてラディカルなところである。ぜんぜん半端《はんぱ》じゃないと思う。

この虎は生まれて二カ月ということだが（本当かなあ。二カ月にしてはちょっと大きすぎるような気がするのだが）、名前はまだついていないらしい。僕が「名前はないのか？」と尋ねると、「お前はアホか。虎にいちいち名前なんかつけるか」といううつろな顔で見られた。よくわからないけれど、中国では動物園の虎には名前をつけないのだ

長春動植物公園で記念撮影用の虎を抱く。

ハルピンの駅前通り。雨はあがっていたのだけれど。

ろうか。たしかパンダには名前をつけていたと思うのだけれど。

　この動物園は建物が全体的に古びていて、まるで廃墟のように見えるので、動物園の係員に「施設は戦前のものをそのまま使っているんですか」と尋ねたら、「いや、新しく開園するときに前のを壊して全部作り替えた」ということだった。しかしこれはどう見ても七、八年前に作ったものだとは思えない。コンクリートの建物の壁は年月の洗礼を受けたかのように悲しげに黒ずんでいるし、ほうぼうにリア王の皺《しわ》を思わせる深いひびが入っているし、崩れかけているところもある。僕がそれを聞いて啞然《あぜん》としていると、その人は過去の建造物を壊したことを証明するために、僕らをかつての虎の檻に連れていってくれた。確かにそこには昔のコンクリートの土台のあとが残っていた。でもこう言っては何だけれど、その破壊された五十年前のコンクリートの土台のほうが、七年前に作られた新しいコンクリートの壁よりずっと新しく丈夫そうに見えた。

　僕はいろんな中国の都市を旅行してつくづく思ったのだけれど、中国人の建築家には、建てたばかりのビルをあたかも廃墟のように見せる特異な才能があるようだ。たとえば外国人向けの高層ホテルに入ると、もちろん全部が全部ではないけれど、我々はそこで数多くの荒廃を目にすることになる。エレベーターのパネルはぺろっと剝《は》がれかけているし、天井の隅には意味不明の穴が開いているし、バスルームのレバーは半分くらいもげてしまっている。電気スタンドの首は折れて垂れ下がっているし、洗面台の栓は消滅している。壁には心理テストみたいな雨漏りの染《し》みがある。それで「これは古いホテルなんですね？」と聞くと、「いいえ、いいえ、去年建てたばかりですよ」という返事が返ってくる。どこでどのようにしてこういう才能が生まれ、全国に普及することになったのかは定かでないが、長春動物園もおそらくそのような建築家の一人が腕によりをかけて作ったものに違いない。

でもこの動物園はなかなか面白かった。係員に「日偽時期」の話を聞くこともできた。あまりにも広くて、茂みが多く、訪れる人も少ないので、当然のことながら若いアベックが多かった。世界中どこでもその手の人々はみんな楽しそうなのだが、ここ長春でももちろんそれは同じで、みんな楽しいことをするのに忙しいのか、わざわざお金を払って暴れる虎を抱いたりするような粋狂な人は僕くらいのものらしかった。

ハルピンでは心ならずも病院めぐりをすることになった。「硬座」に座っていたときに、向かいに座った若い男が窓を開けっぱなしにしていたおかげで、目にゴミが入ったのである（でもこの人はなかなか親切な人で、僕が列車を降りるときに座席にウォークマンの電池を忘れたら、わざわざ走って届けてくれた）。僕はまだそのときは中国旅行の初心者だったので、進行方向に向かって窓際《まどぎわ》の席に座ってはいけないという鉄則を知らなかったのだ。中国の人はじつに気楽に窓からあらゆるものを捨てるので、窓を開けて窓際に座っていると、思いもよらぬ災難にあうことがある。ビール瓶やら蜜柑《みかん》の皮やら鳥の骨やら痰《たん》やら手鼻やらいろんなものがひょっひょっと窓の外を飛び過ぎていくし、へたをするとそれで怪我《けが》をしたり、とても惨《みじ》めな悲しい目にあったりすることになる。目にゴミが入ったくらいはまだいいほうなのかもしれない。でもそうはいっても痛くて目を開けていられないので、ハルピン駅の近くにある鉄道中央病院というところに行く。

　建物はなかなか貫禄《かんろく》があるというか、要するにすごく古い。診療の手続きはきわめて簡単で、受付で名前を書くとそのまま眼科診療室に通され、そこで武闘派型筋肉質の中年の女医さんにわあわあとわけのわからないことを大声で怒鳴られながら（大声を出せばそれで中国語が通じるというものでもないと思うのだけれど）目を洗ってもらい、ゴミを出してもらう。なんだか「戸塚ヨット・スクール」に放り込まれたみたいでけっこうおっかないけれど、それさえ我慢すれば、待ち時間ゼロで目薬までもらって、料金は三元（四十円くらい）である。とにかくも何もなく、圧倒的に安い。不思議に思って「どうしてこんなに診察の料金が安いのに病院ががらがらにすいているんでしょうね？」と中国の人に訊《き》いてみると、例の〈何を訊くんだ、お前は？〉というすごくけげんな顔をされた。「これ、すいてますか？　そうですか。こんなものですよ。だって、中国人はそんなに病院には来ないですよ」ということだったが、本当なのだろうか？　日本だったら、病院というところは大抵いつも満員で、何かあってみてもらいに行っても待合室でたっぷり一日待たされるんだけれど。いろんなことを次から次へと経験すればするほど、中国という国のことが僕にはだんだんよくわからなくなってくる。

この日の夕方になって突然、また目が激しく痛んできた。ゴミは一応とれたものの、軽い結膜炎のようなものにかかったらしく、まぶたの裏側がごりごりして涙が止まらない。それで今度はハルピン市立病院というところに行く。その前に松花江近くの「人民解放軍病院」という正面に毛沢東の巨大な銅像が建ったいかにもいかつい病院に行ったのだが（というのはこの病院のすぐそばで目が痛み始めたので）、ここは五時で診療時間が終わっていたので、市立病院にまわされた。市立病院の眼科担当医はいしだあゆみをもっと疲れさせたようなアンニュイな感じの、これも中年の女医さんだった。この人はありがたいことに前の医者より遥かにもの静かで、まったく怖くはなかった。やはり目を洗って、目薬と軟膏《なんこう》をくれて、こちらも料金は三元。これがどうやら中国のこの地域で目の手当てをしてもらう共通の相場であるらしい。最後に、文革時代から持ち越したようないかにも寂しい笑みを顔に浮かべて、「寝る前に軟膏を塗れば、すぐに治るわ」

と彼女は静かに言った。こちらもがらがらで待ち時間なし。

僕の経験からすれば、こと眼科の治療に関する限り、中国の医療事情はなかなか素晴らしいものであった。安い、早い、うまい（少なくとも下手ではない）。もっとも中国の病院はなんというか、雰囲気がおそろしく暗い。日本の病院に比べて照明そのものが物理的に暗いということもあるかもしれないけれど、全体的にそこにはカフカ的な重苦しさが垂れこめている。どこかのドアをひょっと間違えて開けたら、その奥では何かまた中国的に桁外れな情景が繰り広げられているのではないかという、シュール・レアリスティックな怯《おび》えを僕なんかはふと感じてしまうのである。目のゴミを出してもらうくらいならまだいいけれど、それ以上の病気であまり長くみっちりと世話になりたいという気持ちは起きなかった。

ハイラルからノモンハンまで

ハルピン駅からまた列車に乗ってハイラルに向かう。今度の席は「軟座の寝台」という中国の列車の中ではいちばん立派な席で、完全予約制のコンパートメント寝台席だから、前と違って移動はきわめて楽である。便所に立っているあいだに誰かに席を取られることもない。子供が床でおしっこをするようなこともない。夕方に列車に乗り込み、のんびりと寛《くつろ》いでシーヴァス・リーガルを飲みながらエラリー・クイーンの『ギリシア棺の謎《なぞ》』を読み、眠くなると横になり、目が覚めるともう内モンゴルに着いているというわけである。あえて問題といえばやたらけばけばしい枕《まくら》がついていることと、同じコンパートメントで一夜を共にしたのが若い人妻であったことだが、これはまあたいしたことではない。便所は例によってだんだん壊滅的な状況になっていったが、これもまあ例によってただあきらめるだけのことである。服務員が大量のお湯をポットに入れて持ってきてくれたので、持参した青山「大坊」の豆を取り出して部屋の中でコーヒーをいれた。中国にはご存じのように（あるいはご存じないかもしれないけれど）おいしいコーヒーというものが存在しないので、自分で材料と道具を持ってきていれるしかない。

　内モンゴルに入ると、あたりの風景はがらりと変わる。それまではどこまでもどこまでもまっ平らな緑の平原が続いていたのだが、朝の五時に目覚めて窓のカーテンを開けると、そこはもう山の中だった。大興安嶺《だいこうあんれい》だ。いくつかの駅を通り過ぎ、いくつかの町を通り過ぎる。朝は冷え込むらしく、七月だというのに多くの人は上着やコートを着ている。駅にいる人々の顔つきも少し違っている。中国東北部の人たちはどちらかというと色黒で、目がくぼんで顔がほっそりとして、背が高い人が多いのだが、このあたりになると少しずつモンゴル系の顔になってくる。全体的に丸こくて、頬骨が張っていて、ちょっとぺったりとした感じの顔だちが多くなる。それから着ている服の色が、まるで民族衣装みたいに鮮やかになる。乗馬風の長靴を履いた男の数が多くなる。

　それまでは窓の外にはどこまでもどこまでも、まったくうんざりするくらいまっ平らな緑の畑が広がっていたのだが、いったん山に入るとそのような田園風景は一変し、草原のあちこちに牛や豚の姿が見えるようになってくる。鞭《むち》がわりの棒を持った子供が、豚の群れを追い立ててどこかに移動していく。水たまりでは家鴨《あひる》が水浴びをしている。ヤクシという駅では沢山の人々が一斉に列車に乗り込んできた。どうしてかはわからないけれど、自転車を持って列車に乗ろうとしていた一人の男を突然警官が捕まえ、ボカボカ殴りつけて連行していった。

　通訳の人の話によると（僕と松村君はだいたいいつも自分たちだけで好き勝手な旅行をしているのだが、今回の取材は受け入れ側の事情もあって通訳のお世話になった）、このヤクシの町には林業労働者が多くて、その結果人々の気性がけっこう荒く、文革当時にはずいぶん沢山の人がここで殺されたということだった。何人くらい死んだかまでは聞かなかったけれど、中国の人が「沢山」というのだから、きっとほんとうに沢山だったのだろう。そう思って窓から風景を見ていると、なんだかずいぶんすさんだ町のように見えた。

　町の外れには煉瓦《れんが》造りの小さな貧しい家々がところせましと並んでいるが、どの家の屋根にもテレビのアンテナが聳《そび》え立っている。家はみんな一階建てなので、長い竹竿《たけざお》のようなものを立ててその上にアンテナをとりつけているわけだが、それがまるで丸裸になった密生した雑木林のように見える。べつに何かがとりたてて奇妙というのではないのだが、それは何かしら奇妙な光景だ。日本のマンションのベランダに並んだ衛星放送アンテナにその雰囲気がよく似ている。情報というものはまるでアメーバみたいに場所と状況によって、実にいろんなかたちを取るものなんだなと思う。「ひとつの村で大きな共同アンテナをつければいいんですがね、中国人というのはそういうことをしないんです。みんなでめいめい勝手にやるのが好きなんです」ということだった。日本だって他人事《ひとごと》ではない。

一度内モンゴルに入ってしまうと、あとはだいたい同じような光景の連続だった。牛と豚の放牧、赤い煉瓦で作られた小さな町、真っ青な空に向けて白い煙を吐き出している何かの工場の煙突、テレビ・アンテナの密生した村落、ところどころに流れる川、おそらく仕事場に向かう途中なのだろう、自転車に乗って踏切が開くのを待っている頰の赤い若い元気そうな女性たち。沿線に立って、ただじっと列車が通り過ぎるのを眺めている老人。駅の建物には漢字とともに、髭《ひげ》を勢いよくはねたようなモンゴル文字が記してある。

朝になると、同室の人妻の夫が（たぶん四十歳くらいだろう）僕らのコンパートメントに入ってくる。彼はロシアとの国境にある満州里で個人で交易をやっている人で、これから妻と小さな子供を連れてそこに戻るところだということだった。ロシア人の求めるものを中国から持っていって、そのかわりに中国人の求めるものをロシアから持ってくる。単純といえばきわめて単純な経済行為だが、景気は悪くないらしい。見かけはそれほど金持ちとも見えなかったが、一等寝台の料金を払うくらいはなんでもなさそうだった。切符を買おうにも寝台車が満席で、どうしても一人分の席しかとれなかったんだよと彼は眠そうな顔で言って、目覚めた奥さんの代わりにそのベッドに潜り込んでぐうぐうと眠った。僕らがハイラルで降りるときもまだ熟睡していた。降りるときに僕は、この人はこれまでいったいどういう運命をたどってきて、これからいったいどういう運命をたどるのだろうとふと思った。そしてこのまま満州里まで、そして国境を越えてロシアまでずっと彼のあとをついていって、彼についてのいろんなことを見届けたいという願望に襲われた。ときどき僕はそういう理不尽な好奇心に取り憑《つ》かれることがある。でももちろんそんなことができるわけはない——というわけで、僕はあきらめてハイラルで列車を降りた。

ハイラルの街は僕に、どことなく開拓時代の町を思わせる。たぶん道路が広くて、どことなく埃《ほこり》っぽくて、空が高くて、平屋の建物が多いからだろう。そして何よりも、通りを行く人々の姿がどことなくワイルドな風情《ふぜい》を漂わせているからだろう。経済成長に沸き立つ大連（「北方の香港を目指そう！」）や長春とは違ってここにはメルセデス・ベンツもほとんど走っていないし、マルボロの広告板もない。まるで時計の針が五、六年逆まわりしたみたいに、自転車の数がぐっと多くなる。沿海地方から内陸に入ってくると、経済状態の格差がめだってくる。でもそれと逆比例するように空は青く、空気はますます綺麗《きれい》になっていく。

ハイラルは内モンゴル自治区の街だが、市内に住む人々の大半はモンゴル人ではなく「漢人」である。モンゴル人やその他の少数民族は市外のところどころに固まって住んでいる。歴史的にはあとからここに移ってきた漢人たちが、経済的には地域の実権を握っているわけだ。しかしモンゴル人と漢人の血は長い間に混じりあい、その結果ここの人々の顔つきや歩き方はこれまでに僕が目にしてきた「本土の」中国人とはかなり違っているように見える。ハイラルは開放都市だが、ここには歴史的な古い建造物もとくにないし、名所旧跡というようなものもないので、観光を目的としてこの街を訪れた人は、おそらく時間を潰《つぶ》すのに苦労することになるのではないだろうか。実際にこの街を訪れる外国人観光客といえば、かつて満州国時代にこの街に住んだことのある年配の日本人くらいのものであるらしい。

ハイラルのほとんど唯一《ゆいいつ》のきちんとした観光設備である「望回楼」という展望台が街の外れの小高い山の上にあって、僕らはそこに上ってみた。これは三年前に建てられたということだったが、近年に建てられた中国の建造物の例に洩《も》れず、もう軽度の廃墟《はいきょ》と化して、壁にはひびが入り、天井には何かよくわからない穴が開いていた。僕は展望台から街を眺めるよりは、展望台そのものを眺めているほうが興味深かったくらいである。

でもとにかくそこからは遥《はる》かに街が見渡せる。展望台のすぐ足元には、旧関東軍関係の古い煉瓦造りの建物が並んでいる。

関東軍は来たるべきソビエト軍の侵攻に備えて、ハイラル郊外の山に「ハイラル城」と呼ばれる大掛かりな地下「永久」要塞《ようさい》を作った。それは、ソビエトの強力な機械化部隊をくいとめ、そこで長期戦を戦い抜くためのものだった。軍は強制徴用した中国人の労働者を使って突貫工事をおこない、その工事の過程で、きわめて苛烈《かれつ》な労働条件のせいで多くの労働者が命を落とした。そしてなんとか生き延びた人々も、要塞の完成時に機密を守るために（つまり口塞《くちふさ》ぎに）集団で抹殺された。その山の近くに死体をまとめて放り込んだ万人坑があり、そこにはまだ約一万人の中国人工人の骨が埋まっている――ハイラルで僕らを案内してくれたガイドはそう言った。「日本の兵隊は工人たちの首に針金を通してそこに連れていって殺したんです。掘り返すと、首のところに針金がついたまままみんな骨になっているんです」。山の上から見ると、緑の草原のそこの部分だけが、たしかに剝《む》き出しの白っぽい土のまま小山のようになって盛り上がって残っている。彼の言うことがどこまで正確な歴史的真実――本当に一万人も殺されたのかというようなこと――なのか、もちろん僕にはここできちんと証明をする術《すべ》もないのだけれど、少なくともハイラルに住む中国の人々はそれが歴史的真実だと今でもはっきり信じているようだし（だいたい同じ内容の話を現地で複数の人たちから聞いた）、結局のところそれがいちばん重要なことではないのだろうかと僕は思う。戦争中に日本の軍隊が中国の他の地域でやったあまりにも数多くのパラノイア的な行為から類推して、そういうことはたしかに（あるいはかなり高い確率で）ここでもあったのだろうし、そのときに死にいたらしめられた中国人の数がたとえ一万人であるにしろ、五千人であるにしろ、二千人であるにしろ、その数字の変化によって今ここにある事態の本質が大きく変わるものではない。

そのくだんの秘密要塞にも足を運んでみた。山というよりは小高い丘というに近いのだが、そのてっぺんから縦横無尽に穴を掘りまくり、山を蟻《あり》の巣みたいにひとつ丸ごと要塞にしてしまったような壮大な代物《しろもの》である。なだらかな山腹には今でもまだ、崩れかけた深い対戦車壕《ごう》がそこかしこに残っている。要塞はなにしろ徹底的に機密保持がはかられたせいで、迷路のような地下通路がいったいどこまで延びて通じているのか、その全貌《ぜんぼう》はいまだに解明されていないということだった。コンクリートはどのような激しい砲撃、爆撃にも耐えられるようにおそろしく分厚く作られており、おまけにいたるところで頑丈きわまりない鉄製の扉が行く手を塞いでいる。どのように手を尽くしてもそれらの扉を開けることができないので、仕方なくそのときのまま放り出してあるということであった。僕も懐中電灯を持って中にちょっと入ってみたのだが、中はまったくの漆黒の闇《やみ》で、空気は氷室《ひむろ》のように冷えきっていた。ガイドの人の話では、要塞の中には病院から食料貯蔵庫まで、長期的な籠城《ろうじょう》に必要なものはなんでも揃《そろ》っていたらしいということだった。ずっと前、まだドイツが統一される前の東ベルリンで、僕は同じようなナチスの作った地下要塞を見に行ったことがある。それはやはりソビエトの戦車部隊に備えたもので、同じような小高い丘の上にあり、「難攻不落」とヘルマン・ゲーリングが豪語した素晴らしく立派な要塞だったが、結局は何の役にも立たなかった。歴史が証明しているとおり、難攻不落のものなどこの世界のどこにもないのだ。

要塞の上の地面を歩いていると、換気孔らしきものの残骸《ざんがい》がところどころに顔をのぞかせていた。一九四五年の夏に国境を越えて満州里方面から侵攻してきたソビエト第三十六軍は、四百台の戦車をもってしてもこの堅牢《けんろう》きわまりない地下要塞を攻めあぐね、その換気孔から地下にガスを注ぎこんだということである。そして出口を塞ぎ、徹底した殲滅《せんめつ》戦を展開した。

僕が中国側のモンゴルでも、モンゴル国においてもいちばん驚かされたのは、第二次世界大戦やノモンハン戦争の痕跡《こんせき》が、いたるところで当時とほとんど変わらないかたちで残されていることだった。それも大方の場合、原爆ドームみたいにきちんとした目的のために「保存されている」のではなく、ただはうったらかしになってそこに残っているのだ。これは日本ではちょっと考えられないことである。だからそういうのを実際に目の前にすると、「そうか、考えてみればたった五十年前に戦争が終わったばかりなんだな。五十年なんてついちょっと前のことでしかないんだな」という感慨に打たれることになる。日本で暮らしていると、五十年なんていう歳月はほとんど永遠みたいにも感じられるのだけれど。

ハイラルから真新しいランドクルーザー（これを手に入れるのはけっこう大変だったですよ、ということだった）に乗って、新巴爾虎左旗《シンバルクサキ》という町まで行く。旗《き》というのは昔からあるモンゴルの行政区で、この町はその旗のアドミニストレーションを司《つかさど》っている。ここはいわゆる未開放地域で、政府の許可なくして外国人は入り込めないし、写真の撮影などもかなり制限されている。そういうところだからもちろんホテルなんていうものはないので、解放軍の「招待所」（賓客や出張者の接待設備）に泊めてもらう。軍隊がやっているだけあって、おそろしく愛想のないところで、夕方になるまでは水というものがまったく出ない。廊下のドアの前にはカラフルな痰壺《たんつぼ》がなんとなく映画『バートン・フィンク』のシーンみたいな感じでずらっと並んでいる。便所は水洗なのだが、水が流れないものだからどこにも大便がそのまま残っていて、宿命的にその臭《にお》いがそこかしこに漂っている。最初に建物に入ったときにここはなんとなく巨大な公衆便所みたいな臭いがするなという漠然とした印象を持ったのだが、それもむべなるかなである――といってもここに着くころにはそんなものもとくに気にならなくなってしまっているわけだが。

ハイラルからこの町まではランドクルーザーで四時間ばかりかかるが、道（というか、それに準ずるもの）は見渡すかぎり何もない草原を突き抜けるかなりの悪路で、上下動が途切れることなく続き、当然のことながら内臓にはよくない。運転手はこの道を行き来することにすごく馴《な》れているらしく――世界にはいろんな人生がある――大きな穴ぼこをひょいひょいと避けながら時速七十キロくらいでランクルをぶっ飛ばす。だいたいはうまくよけられるのだけれど、ときどきよけ損ねてどかんと来て窓に頭をぶっつけたり、舌を嚙《か》みそうになったりすることになる。そういうのが四時間も続くと、これはうんざりする。しかしやがて判明することだが、こんなものは僕がそのあとで味わうことになる責め苦のまだほんの序の口にすぎなかったのだ。

新巴爾虎左旗はハイラルの街をもっともっとプリミティヴにワイルドにしたようなところで、映画『シェーン』に出てくる開拓者の町（ジャック・パランスが農民をピストルで無情に撃ち殺すあの泥だらけの町）を想像していただければいいだろう。だだっ広い未舗装道路が一本、町の真ん中をまっすぐに延びており、その両側にぼそぼそとしたしけた建物が並んでいる。車が少なくなり、馬に乗った人の姿が目立つようになる。人々の服装はもっとカラフルになり、動物たちも臆《おく》することなくその辺をうろうろと徘《はい》徊《かい》している。中国「本土」からモンゴル自治区のハイラルに来たときも人々の姿かたちの変化にずいぶん驚いたけれど、ハイラルからこの町にやってくると、またもう一段別の世界に来たような気がする。

　まず第一に、こういっちゃなんだけど、この町を歩いている人々はどうみてもカタギじゃない。彼らの顔はこれまでの旅先で見てきた農民系の顔とはまったく違う世界に属している。これは紛れもない採集遊牧系の土地であり、そこに住む人たちなんだという実感がそこにはある。これまで外国人をあまり目にしたことがないのか、僕らが外に出ると、ただじいいいいっと見つめる。そこにはほとんど何の感情も込められていないように思える。珍しいから見るというよりは、ただ単に異物だから見ておく（まさか採集まではしないだろうけれど）というほうに近い。べつに悪意はないのかもしれないけれど、そんなことは僕にはあくまでわからない。穴が開くくらい顔を見られるというのはあまり気持ちのよいものではないし、見られる相手が兵隊だったりすると、「これはちょっとあぶないんじゃないかな」という雰囲気は一層強くなる。人民軍の若い兵隊はだいたいみんなだらしなくシャツのボタンを外したり、帽子を斜めに被《かぶ》ってくわえ煙草《たばこ》したりしているので、昔の日活映画に出てくるちんぴらみたいに見えてしかたないのだ。

このあまり心温まるとはいえない新巴爾虎左旗の町を出て、また同じくらいでこぼこの続く道を三時間ばかりかけてノモンハン村へと向かう。雨が降ると道路は泥だらけになり、タイヤがとられてとても通行できなくなるということだったが、雨季にもかかわらず、幸いなことに我々は雨に降られずにすんだ。でも考えてみれば、ランクルに乗せてもらって悪路にぶつぶつ文句を言っているなんてのはそもそもが贅沢《ぜいたく》なのであって、記録を読めば、ノモンハン戦争で戦った日本軍の兵士の多くははるばるハイラルから完全軍装で、徒歩で国境地域まで約二百二十キロ（といえばだいたい東京から浜松くらいの距離だ）の荒野を行軍してきたのである。ものすごい体力というか、持久力というか、そういうのを聞くと昔の人はすごかったんだなと感心してしまう。でも「歩兵に通常期待されている行軍速度は一時間六キロ」（クックス『ノモンハン』）ということだから、そんな行軍が休みもなく四日も五日も続いたら、いくら丈夫とはいえ、ほとんどの兵隊は戦闘に入る前に疲労困憊《こんぱい》の極に達していたに違いない。おまけに彼らは見渡すかぎり何もない草原の真ん中で、慢性的な水不足に悩まされていたわけだから、これは本当に大変だったのだろうと思う。だって車で走っていてもとにかくうんざりするくらいの道のりなのだから。しかし実際問題としてその当時の日本軍は、民間の車両を徴用してかき集めても、兵士を輸送するだけの充分な数の自動車を揃えることができなかったのだから仕方ない。ない袖《そで》は振れないのだ。徹底した補給ルートを築き上げてからあらためて組織的攻勢に移ったソビエト軍とは、戦略についての発想そのものがべつものだったのだ（これはモンゴル側に行ってみてあらためて実感することになった）。本で読むとただ「＊＊部隊はハイラルから国境地域まで徒歩で行軍した」としか書いてないし、読むほうも「そうなのか」と知識として認識するだけだが、実際に現場に来てみると、その行為が意味する現実的なすさまじさを前にして唖然《あぜん》として言葉を失うくらいだし、またそれだけ当時の日本という国家がどれほど貧しかったのかということが身にしみてわかる。日本という貧しい国家が生き残るために、中国というもっと貧しい国家を「生命線を維持する」という大義のもとに侵略していたのだから、考えてみれば救いのない話である。

実感できるといえば、当地における虫の攻勢も大変なものだった。風が吹いているうちはいいのだけれど、いったん草原の風がやむと、あるいは風の届かない場所にいったん入り込むと、ありとあらゆる虫が人間をめがけてどっと押し寄せてくる。蠅《はえ》やら蚊やら虻《あぶ》やら羽蟻やら、その他名前も知らない羽のはえた虫たちが、ここを先途と服が真っ黒になるくらいたかってくるのだ。七月に入ると草原にはよく雨が降り、その結果できた水たまりに大量の虫が発生するのである。もちろん蚊は遠慮も何もなく皮膚を刺す。その不快さは筆舌に尽くしがたい。暑くても帽子を被り、長袖の服と長いズボンを穿《は》き、サングラスをかけて口のまわりにタオルを巻くというあの懐《なつ》かしい全共闘スタイルじゃないとここではとても生き残っていけない。

ノモンハンで戦闘が繰り広げられたのも、僕らがそこを訪れたのとちょうど同じ季節で、兵士たちも同じように虫には悩まされることになった。日本軍の兵士は携帯用の蚊《か》帳《や》を用意していたのでまだ被害が少なかったが、ソビエト軍の兵士はその用意がなかったのでひどい目にあったという記録が残っている。さすがのソビエト軍も、夏のモンゴル草原での戦闘に関するノウハウがそこまでは研究しきれていなかったのである。しかし孤立した場所で重傷を負った日本軍の兵士たちは、無数の蠅に悩まされることになった。「ふつうの銀蠅ですと、卵から蛆《うじ》になるには三日かかるのですが、ここのノモンハン蠅の蛆は、十分もたたぬうちに蛆になります。奇術としか思えぬほどの速さです。蛆は、みるまに死体の上を匍《は》いまわって、やわらかな部分から蝕《むしば》みはじめます。これは死者のみでなく、負傷者に対しても同じです」（伊藤桂一『静かなノモンハン』より）。この文章は読んだときにもかなりぞっとしたけれど、実際にここまで来て虫にわっとたかられてみるとそのおぞましさがずっとリアルに実感できた。

ノモンハンというのはとても小さな集落で、しばらく前までは人民公社だったのだが、今ではソムという単位に、つまり普通の村になっている（現在は人民公社というのはまったく残っていない、人民服を着ている人がいないのと同じように）。ちょうどこの季節にはノモンハン・ソムに住む人々は家畜を連れて夏の野営地に移動しているということで、あとには責任者のような人とその一家、それに子供たちだけが残ってソムを管理している。いわば留守宅のようなものである。村はがらんとして、泥だらけの黒い豚が大きな水たまりで水浴びをしている。カメラを向けると、子供たちはくもの子を散らすようにわっと逃げた。ずっと遠くから望遠レンズを向けても、それがちゃんとわかるのだ。「よっぽど目がいいんですね」とカメラの松村君が感心する。そういえばモンゴル地域に入ってから眼鏡をかけた人の姿をほとんど見かけない（まさか目の悪い人がみんなソフト・コンタクトをしているということはあるまい）。

ソムの中には小さな戦争博物館があって、そこには日本軍の遺品みたいなものが展示されている。銃器から水筒、缶詰、眼鏡といったものまで、ありとあらゆる軍装品がショーケースの中に、まるで小学校の忘れ物入れみたいにずらりと並べられている。「国境を越えたモンゴル側にも同じような博物館があるけれどそっちはずっと大がかりだし、展示してあるものも立派なものですよ」と案内してくれた人は言っていたけれど、後日行ってみると実際にそのとおりだった。もっともここから国境まではほんとうに目と鼻の先なのだが、残念ながらそれを越えることはできない。鉄条網とか壁とかそういう目に見える国境線があるわけではないのだが、なにしろ見渡すかぎり遮るものもなく、逃げ隠れすることもできない草原だから、国境を越えた人間は目のいいモンゴル軍の監視兵に見つかってすぐにつかまってしまう。だから鉄条網なんてとくに必要ないのである。

日が暮れると、空は圧倒的な数の星に覆《おお》われる。夏の夕暮れどきの草原の光景は、息を呑《の》むほどに美しい。しかしこの水もほとんど出ない、農耕もまったくできない虫だらけの土地を巡って五十五年前に人々が血みどろの戦いを繰り広げ、そこで何万もの兵士たちが撃たれ、火炎放射器で焼かれ、戦車のキャタピラに踏み潰《つぶ》され、砲撃によって塹《ざん》壕《ごう》が崩れて生き埋めになり、あるいは捕虜になるよりはと自決し、またそれに倍する人々が深い傷を負い、腕や足を失うことになったのかと思うと、やはり暗澹《あんたん》たる気持ちにならざるを得ない。このあたりはもともとは、遊牧民が家畜を連れて季節ごとにあっちからこっちへと移動する「誰のものでもない」土地だった。そこで戦闘がおこなわれなくてはならなかったほとんど唯一《ゆいいつ》の理由は、軍の面子《メンツ》と、「あわよくば」という冒険主義的な思惑だけだったのだ。故郷を遠く離れて、蛆まみれになって激しい苦痛のうちに死んでいかなくてはならなかった当時の青年たちは、死んでも死にきれない思いだったのではないか。

その夜はノモンハン村で羊料理と白酒《パイチュウ》を御馳走《ごちそう》になり、生まれて初めて酔っ払って意識不明になる。記憶がまったくぷつんとブラックアウトしている。話を聞くとその白酒はアルコール度が六十五度くらいあったということで、それを四、五杯ストレートで飲んだのだからたまったものじゃない。気がついたら翌朝で、新巴爾虎左旗の宿舎のベッドの中にいた。その後遺症で、それから一カ月近く経過した今でもビール以外のお酒がほとんど飲めない――飲みたくない、というまことにいたましい状況下にある。それくらいきつかったのだ。

新巴爾虎左旗（シンバルクサキ）からノモンハンへの道。

ウランバートルからハルハ河まで

ノモンハン村からモンゴル国境までは手が届きそうなくらい近いのだが、残念ながらそこを越えることはできない——というのは前に書いた。長い国境線を有しているにもかかわらず、現在中国からモンゴルへ入るルートはごく限られた数しかなく、それも飛行機を利用する以外の方法ははっきりといって「非現実的」というに近い状態にある。ただうまい具合に今年の七月初めの何週間かだけ特別措置として新巴爾虎左旗《シンバルクサキ》あたりの国境を開いて、地元の人々の行き来を許可するというニュースが届いたので、「これはラッキー」と喜んでいたのだが、それも直前になって何の説明もなく——というのはこのへんではよくあるパターンらしいのだが——急に延期になってしまった。中国とモンゴルの関係は近年ずいぶん改善されているので、どうして両国間の通行をそんなに極端に不便なままに放置しておくのか、考えてみれば不思議である。

ただ友好的な関係にあるとはいっても、現実的には両国の経済的な実力格差は圧倒的であり、中国（漢人）の急速な経済進出を恐れるモンゴル側の事情と、そしてまた国境をはさんで人為的に「線引き分割」された状態にあるモンゴル民族の団結、あるいは融合傾向のたかまりを危惧《きぐ》する中国側の事情によって、交流の進展に対して両サイドからそれぞれにブレーキがかけられたのではないかというのが僕の想像である。おそらくこのあたりの地域の政治的再編成はかなり急速に進んでいくことになるのだろうと思われるが、それが「ユーゴ的」に悲惨なものにならないことを僕としては祈るばかりだ（というのは内外モンゴルで僕が出会った人々はみんないい人たちだったので）。いずれにせよ流れを無理にせき止めたような、この〈ステイタス・クオ〉の状態はそれほど長くは続かないだろう。

というわけで、北京から飛行機でウランバートルに入り、飛行機を乗り換えてチョイバルサンまで行き、そこからジープでハルハ河まで広大な草原をはるばる横断してようやく着いたところが、三日前にいたノモンハン村のすぐ向かい側というのだからまったく世話はない。しかしそのように遠回りをしたおかげで、モンゴルの草原の広さだけはつくづく身にしみて実感することができた。モンゴルの草原を横断するというのがどういうものか、あるいは読者にはうまく想像できないかもしれないが、だだっ広い海原を小さなクルーザーで横切っているようなものだと思っていただければよろしいかと思う。三チョイバルサンの町からハルハ河までは、距離にしておおよそ三百七十五キロある。三百七十五キロというとだいたい東京から名古屋までくらいで、もちろん道はひどい悪路だし、途中の食事や休憩を入れると十時間はゆうにかかってしまう。そのあいだすれちがう車も数えるほどしかない。まわりは見事にまっ平らで、見渡すかぎりどこまでもどこまでも緑の草地が続いている。実際問題として、これは海なんだと思ったほうが感覚的にはむしろ呑《の》み込みやすい。切れ目なく続くでこぼこの上下動は、小さなボートが波を切る感じに似ていなくもない。

海との違いは、ときおり野生動物の姿が目撃できるところだ。草原というくらいだから草はたしかに豊富なのだが、付近にまとまった水がないので放牧に向く地域は限られており、ブイル湖の近くを別にすれば家畜の姿はまず見あたらない。そのかわり、人もほとんど住んでいないから、そこでは様々な野生動物が人間とは無関係に勝手気ままに暮らしている。カモシカ、モンゴル鷹《たか》、鶴《つる》、狼《おおかみ》、大きな野ねずみ、ウサギ……そのほか名前も知らないいろんな動物を道中でずいぶん目撃した。電信柱があるとそのてっぺんには必ずといっていいくらい大きなモンゴル鷹がとまって、餌《えさ》を求めてその鋭い目であたりを睥睨《へいげい》していた。このあたりはモンゴル語で「ドルノド（東）」と呼ばれる地域で、このようながらんとした草原の他には見るべきものは何もない。ドルノドの草原はかつて海の底にあったということで、そのせいでときどき海洋生物の化石が発見される。標高はモンゴルの中でもっとも低く、夏はくそ暑い。人口はわずか九万人、それに比べて家畜の数は約二百万と案内書にはある。そんな地域をわざわざ訪れるもの好きな外国人観光客は、当然のことながらそれほど沢山はいない。もっとはっきり言えばほとんどいない。

もっともこの地域は軍事的には重要な意味を持っており（中国、ロシア両国と国境を接している）、そのせいか交通の便は予想以上にいい。県都チョイバルサンまでモスクワから直接列車が送り込めるようになっていて、この鉄道ルートはノモンハン戦争、あるいは満州侵攻の際にきわめて有効に利用された。チョイバルサンから「満蒙《まんもう》」国境付近のタムスク基地まで、かつては兵員と軍事物資を補給するための専用鉄道が敷設《ふせつ》されていたらしいが、それらは今はもう存在しない（と少なくとも我々は説明を受けた）。とにかくこと兵站《へいたん》に関しては、ソビエト軍は関東軍とは逆におそろしく慎重に計算して行動した。ソビエトにとってはヨーロッパ戦線と極東戦線とのあいだで、鉄道を使ってどれほど有効に速く兵員装備を行き来させられるかというのが、軍事上の最重要事項であった。そしてそのシステムを整備するために全力を傾注した。何があってもヨーロッパと極東の二正面作戦を回避し、うまくやりくりして一度に一方を始末すること——それがソビエトの絶対的な基本方針だった。だからノモンハン戦争終結の直後にソビエトがポーランドに侵攻し、また一九四五年の八月（ドイツ降伏の三カ月後）に彼らが満州に侵攻したのは、基本的には何の不思議もないことだった。

ノモンハン戦争、対日戦争のあとも、ペレストロイカによって近年モンゴルとの軍事協定が破棄されるまでは、ソビエト軍がこのあたりにかなり大規模な部隊を駐屯させており、そのおかげでチョイバルサンの空港も、モンゴルの空港にしては珍しく滑走路がちゃんと——多少のひびは入っているが——舗装されている。空港の建物なんてものはなくて、雨が降ったら傘をさして延々待っていなくてはならないけれど、まあ贅沢《ぜいたく》は言えない。僕らの乗ったロシア製の小さな双発プロペラ機の荷物室には棺桶《かんおけ》がひとつ積まれていたが、これもまあ文句を言うほどのことではない。

ここで我々のガイドについてくれたのはモンゴル軍の現役の将校である。どうして兵隊がわざわざ僕らのガイドをつとめてくれるか、僕にもうひとつよく理解できないのだが、結局のところ「外国人に国境あたりを勝手にうろうろしてほしくない」という心配と、「ガイド料として米ドルが入ってくるから」という実利がその二つの大きな理由ではないか。つまり軍としては、外貨稼ぎのアルバイトとお目付け役を兼ねているわけだ。モンゴルには今のところこれという産業もなく、国際的に通用するハード・カレンシーが痛烈に不足しているから、旅行者はことあるごとにあらゆる場所で、貪欲《どんよく》に米ドルを要求される。この国の旅行産業は残念ながら、旅行者の数を少しでも増やそうというよりは、数少ない旅行者から少しでも沢山金をもぎ取ろうという段階にあるのだ（一昔前の中国に似ている）。しかし逆にいえば、米ドルさえだせば大抵のものは買えるし、大抵のことはかたがつくということにもなる。

正直に言って、今回の取材に関しては我々は「え？」というくらいかなりの高額の――といってもモンゴルの物価からすればということだが――金をモンゴルの旅行社に要求された。でもそれに代わる選択肢のようなものは、現実問題としてない。個人の資格でジープを雇ってドルノドの国境地区に行った人が、現地のあちこちで国境警備の軍隊によってけんもほろろに追い払われたという話を以前耳にしていたし、せっかく手間暇かけて取材に出かけてそんなことになったら目もあてられない。それなら多少の金はかかっても、最初から軍人の付き添いを連れていったほうがむしろ賢明ではないかということになってしまう。正直に言ってあまり気持ちのいいやり方ではないけれど。

案内してくれたのはチョグマントラというサングラスをかけたちょっとこわもての中《ちゅう》尉《い》――星が二つだったから、たぶん中尉じゃないかと推測する――で、そこに専属の運転手であるナスンジャルグルというおっさん（この人はたぶん軍曹くらいではないか）がつく。ジープは愛想もクソもないロシア製の軍用ジープである。四ドアだが後ろも前も窓が開かない（開くのは三角窓だけ）うえに、車内にガソリン・タンクをいくつか積んでいるのですごく臭いし、にもかかわらずみんなすぱすぱ煙草《たばこ》を吸う。危険なうえに、非常に息苦しい。乗り心地も性能も三菱パジェロなんかに比べると、全自動洗濯機とかなだらいくらいの差がある。そんな車になにしろ片道十時間以上乗らなくてはならないというのだから、手当たり次第に何かを呪《のろ》いたくなったとしてもあながち責められないだろう。

しかし現地の人々は日常の足として日本製のスマートな四輪駆動車よりは、むしろこういう単純で無骨な車を好むようだ。なにしろ道路状態がほとんどの局面において破滅的なので、「あればたしかに便利かもしれないけれど、とくになくてもいいもの」（つまり現代の高度資本主義における最大の商品）があれこれついていないほうが故障が少なくて使いやすいのだ。自分では手の施しようのないブラックボックスみたいなものがまったくないし、すべては剝《む》き出しだから、もしどこかが故障しても自分の手で簡単に直せるし、ガソリンやらオイルやらラジエーター液やらにあれこれ贅沢をいわない。その辺にあるものを何でもいいから——小便でも焼酎《しょうちゅう》でも——とりあえず入れておけば目的地までは走るというタイプの車である。草原の真ん中で真冬に突然車が故障したら、下手をすればそのまま死ぬしかないというような実にシビアな環境なので、このへんのドライバーの世界観に、渋谷あたりで土曜日の夜にランクルを流しているお兄さんのそれとかなり差があったとしても、それはあながち不自然ではないだろう。

中尉は、僕らがウランバートルで旅行のアレンジを頼んだ旅行代理店の社長と陸軍幼年学校かなにかで同期生だったということで、「粗相のないように」という指示を受けているらしく、「武家の商法」的に不慣れながらもいろいろと気をつかってくれた。途中で軍隊の駐屯所によって、そこでミルク入りのお茶と、チーズ盛りあわせと羊肉入りギョウザを御馳走《ごちそう》になる。とはいっても僕はノモンハン村の羊料理と白酒《パイチユウ》の後遺症でほとんど食欲がなく、カメラの松村君は胃腸の具合が悪くて（この人は蛇でも蛙《かえる》でもぱくぱく食べてしまいそうな顔をしているが、実は見かけによらず内臓関係がデリケートである）、二人ともほとんど食事には手をつけなかった。これはモンゴルでは失礼なことであり、チョグマントラ中尉は「どうして食べないんだ。旅行するときにはものを食べないと身体《からだ》がもたないぞ」と僕らに熱心に勧めるのだが、悪いけれどとても食べる気にはなれない。いくら失礼にあたるとはいえ、こっちはいちおう仕事で来ているわけだから、身体を壊すわけにはいかない。この中尉は胃腸にはどうやら何の問題もないらしく、ジープの中でも白酒をぐいぐいとあおっていた。よくあんなコインランドリーの乾燥機みたいなものの中でまともに飲み食いができるものだとひそかに感心していたのだが、この人にとってはべつに何でもないことらしい。
「だってあんた、酒でも飲まなくちゃこんな長旅はできんだろうが」と彼は言う。「日本人は胃の構造が生まれ付き違うから、旅行のあいだはあまりものを食べないんだよ」と、僕は適当に嘘《うそ》をついておいた。あまり納得はしていなかったみたいだけれど。

僕らのめざした町、というか集落はスンブル（ヨーロッパの地図にはだいたい「ツァガアヌル」と書いてある）というところで、ここはノモンハン戦争でいちばんの激戦地のひとつとなったハルハ河とホルステイン河の合流点――日本軍は「川又」と呼んだ――の対岸の丘の上にある。スンブル・オボにはホテルというような気の利《き》いたものはないので、軍の招待所に泊めてもらうことにする。将校専用のけっこう立派な宿泊設備だが、残念ながら水というものが出ない。だから歯も磨けないし、顔も洗えない。もちろん水洗便所なんてものはない。煮沸《しゃふつ》すれば水くらい飲めるだろうと思っていたのだが、貯水瓶の中の水にはいろんなもろもろが浮いていて、これは正気ではとても飲む気が起きなかった。モンゴルの人たちは気にせずにそのままごくごくと飲んでいたが、そんなもの飲んだら僕らはまず立ち直れない。持参した少量のミネラル・ウォーターを飲み尽くしたあとは、それから十二時間あまりただじっと渇きを我慢するしかなかった。これ

ゲルで御馳走になった羊のチーズと
ミルク入りのお茶。

白酒と食べ終わった羊の骨。

はかなりきつかった。
基地の中だから十時消灯、酒はぜったいに駄目ということだったが、何のことはない、兵隊はみんな真夜中過ぎまで起きていて、電灯をつけてわいわい酒を飲んでいた。中国の人にその話をしたら、「中国の人民解放軍は規律が厳しいから、そんなのぜったいありえない」と言っていた。モンゴルの軍隊はむずかしいことはいわずに、けっこう楽しくやっているのかもしれない。いずれにせよ、この国で酒を勧められて断る人はまずいないみたいだ。軍隊であろうが、消灯時間後であろうが。

翌朝チョグマントラ中尉が、基地の中でいちばん偉いナムソライ中佐を（この人についても、なんとなく中佐くらいだろうと適当に雰囲気で推測する）僕らに紹介してくれた。この人がわざわざ一緒についてきてくれて、国境地域をあちこち案内してくれるという。親切なのかただ単に暇なのか、そのへんのことは僕にはよくわからないが、でも正直に言ってこの人はモンゴル陸軍中佐というよりは、千駄ケ谷商店街の「秋の交通安全週間詰所」で朝からごろごろしているただのおっさんみたいに見える――べつに悪い意味じゃなくて。あるいは潰《つぶ》れかけの相撲部屋の、アルコール依存症の傾向のある親方みたいにも見えなくもない。こんなのがほんとうにちゃんと案内できるのかいな、と僕

草原を熟知するナムソライ（たぶん）中佐。

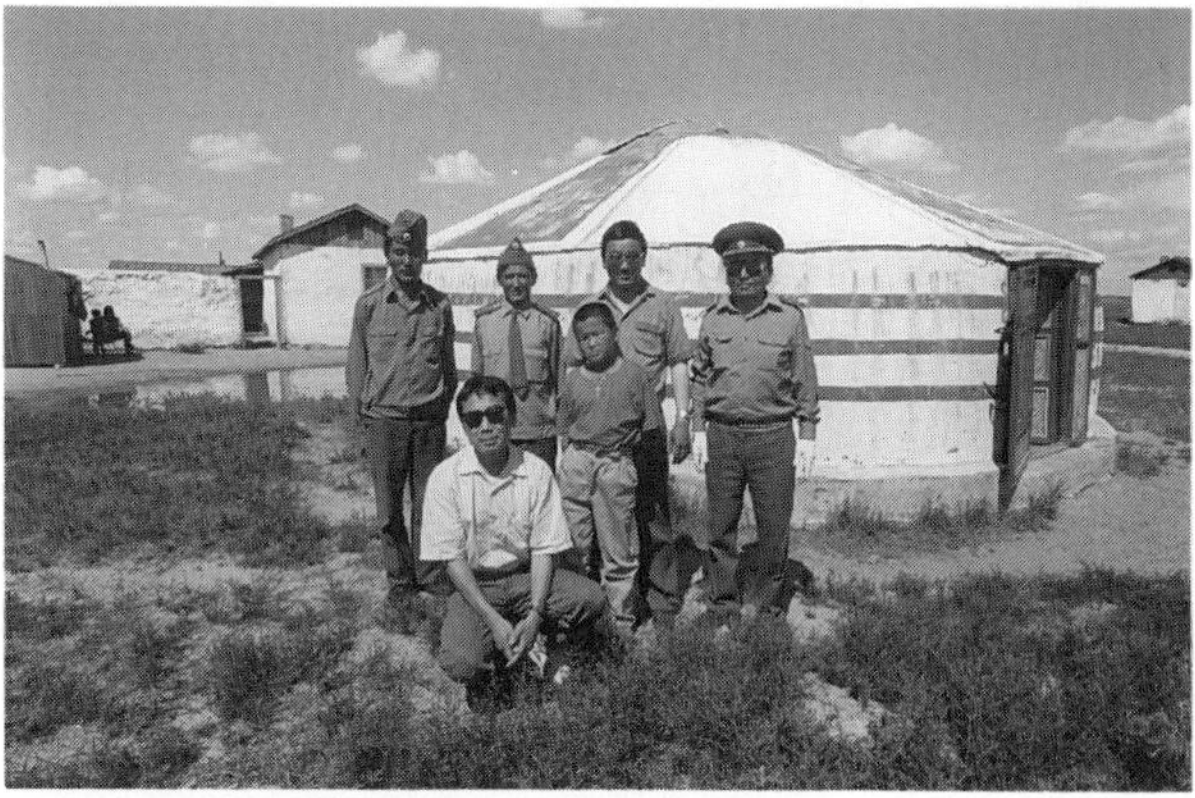

モンゴル軍駐屯所前で記念撮影。右から二番目が
チョグマントラ（たぶん）中尉とその子供。

は内心疑っていたのだが、しかし人は見かけによらないものである。この人は国境地帯の草原の隅から隅までを、まるで自分の家の間取りみたいによく知っていた（実を言うと僕は図に描こうとすると、自分の家の間取りがろくに思い出せないのだが、それはさておき）。ほとんど道もなく、何の目印もない——と僕には思える——だだっ広い草原にどんどんジープを走らせ、「あっちにまっすぐ」とか「それを左だ」とか「あの丘を越えて」とか運転手に的確な指示をだして、僕らをいろんなところに要領よく案内してくれた。もしこの人がいなかったら、たぶん僕らは茫漠《ぼうばく》とした草原をただうろうろするだけで、まともなものはなにひとつ見つけられなかっただろうし、下手をすれば道に迷ってえらいことになっていたのではないかと思う。僕はどこの国に限らず、制服を着た国家公務員の方々を見ると何となく身体が反射的にこわばる傾向があるのだが（これは世代的記憶によるものかもしれない）、この人はなにはともあれ現実的に非常に役に立つ人だった。そう思ってよく見ると、ときおりきらっと光る目つきも鋭い。なんといってもだてにいちばん偉い人をやっているわけではないのだ。疑って悪いことをしたと思う。

しかし逆に言えば、この人たちはこの地域の隅々までを熟知するくらい真剣に国境警備にあたっているのだと思う。夜陰に紛れて国境を突破しようとするような人間がいても、すぐに捕まってしまうことだろう。彼に「国境を越えて密輸しようとする人間はいるのか?」と質問すると、はっきりとした答えは返ってこなかったが、要するに「いなくはない」ということらしかった。モンゴルでは高級消費物資が不足しているので、中国からビデオやカメラといった工業製品を持ち込むと、けっこういい儲《もう》けになるのだ。

ハルハ河はまるで蛇がのたうつように、くねくねと曲がりくねった河だ。水の流れはけっこう速く、ところどころに中洲《なかす》がある。見渡すかぎりなにもない長い長い草原の旅をしてきたあとでは、その青い河の流れと、岸辺に茂った緑鮮やかな灌木《かんぼく》は、まるで生命そのもののようにみずみずしく目に映る。河の西岸(ソビエト・モンゴル軍側)は高い台地のようになっており、それに比べると東岸(日本軍側)は広い谷間のような低地になっている。そのためにとくに砲撃戦で日本軍は地形的に大きなハンディキャップを背負いこむことになった。台地の上からは、双眼鏡を使えば二十キロ向こうのノモンハン村までくっきりと見渡すことができるのだ。もちろんソビエト・モンゴル連合軍司令官ジューコフ元帥《げんすい》はその丘に頑丈な地下司令所を設け、戦場を一望のもとに見下ろしながら指揮を取った。それにくらべると東岸からは、河に沿って屏風《びょうぶ》みたいに厳しく切り立った白い崖《がけ》が見えるだけである。実際に河の両岸に立ってそれぞれの対岸を眺めてみると、その眺望の違いにいまさらながら驚いてしまうことになる。

スンブルの近くの、川又の南にはコンクリート製のなかなか立派な橋がかかっている。この橋ができたのはつい十年ほど前のことで、それ以前には軍事用の仮設橋を別にすれば、この河には恒久的な橋というものがひとつもなかった。村人は馬に乗って浅瀬を横断するし、冬場は凍結してその上を渡れるので「橋なんかなくてもとくに不都合はないのだが」ということだった。たぶん地元住民の便宜をはかるというよりは、軍事用の車両を通行させる目的でこの橋は作られたのだろう。もっとも見ていると、人間よりは動物の方がはるかに頻繁にこの橋を利用している。橋の真ん中で牛の群れがみんなでだらだらとふて寝をしていて、そいつらを追い払って橋を渡りきるのにけっこう時間がかかった。橋の上は馬糞《ばふん》、牛糞だらけである。もちろんそれなりの臭《にお》いもする。当たり前の話だが「マディソン郡の橋」とはずいぶん雰囲気が違っている。

ナムソライ中佐がまず最初に僕らを連れていってくれたのは、かつてかなり激しい戦闘があったと思われる高地だった。川又から南東の方向に向けて、二十分ばかりジープを走らせたところにこの高地はある。もちろん道などというものはみじんもない。この高地の正確な名前はわからない。地図からすれば、おそらく激戦地として有名な「ノロ高地」（当時の日本軍の呼称）かその近辺ではないかと推測するのだが、定かではない。

モンゴル軍駐屯所入口に立っていた看板。

見たところもともとはなだらかな緑の丘であったらしいが、おそらくはソビエト軍の集中砲撃のせいでその形は見事に変形し、緑はごっそりと抉《えぐ》りとられ、砂地がいたるところで剥き出しになっている。八月後半のソビエト・モンゴル軍の大攻勢の折に血みどろの包囲戦が繰り広げられたのだろう、斜面の砂地の上には当時の激しい戦闘のあとがまったくそのままに残っている。あたりには砲弾の破片や、銃弾や、穴が開いた缶詰の缶や、そんなものがところ狭しと散らばっている。不発におわったとおぼしき臼砲弾《きゅうほうだん》（だと思う）の一部まで落ちていた。僕はその光景の真《ま》っ只中《ただなか》に立って、しばらくのあいだ口もきけなかった。だってなにしろ五十五年も前の戦争なのだ。それがまるでつい数年前におこなわれたもののように、死体こそなく、血こそ流れていないものの、ほとんど手付かずの状態で僕の足元に散らばっているのである。

おそらく乾燥した気候のせいで、そしてそこが訪れる人もないきわめて辺鄙《へんぴ》な場所であったせいで、それらの雑多な鉄製品は原形をとどめたままそこに残されることになったのだろう。鉄はそれぞれに赤茶色に錆《さ》びてはいるが、手にとってもぼろぼろと崩れるようなことはない。赤いのは表面だけで、錆を落とすとその下には生々しいばかりの「鉄」がまだ息づいている。それほどの大量の鉄片が、これほど狭い場所に集中してばらまかれたという事実に対して、僕は茫然としないわけにはいかなかった。我々は歴史的に分類すれば、たぶん「後期鉄器時代」というような時代に属しているのだろう。そこでは、有効に大量の鉄を相手側にばらまいた側が、そしてそれによって少しでも多く相手の肉を切り裂いたほうが、勝利と正義を得るのだ。そしてぱっとしない草原の一画をめでたく手に入れることができるのだ。

この衝撃的な光景を忘れないためにも、足元に落ちていた銃弾をひとつと臼砲弾の一部を拾って、ビニールの袋に入れて日本に持って帰ることにした。べつに記念品が欲しかったわけではない。ただ、忘れないということが、おそらくは僕にできる唯一《ゆいいつ》の行為であるように思えたのだ。そして僕はその手掛かりのようなものを、何かひとつ残しておきたかったのだ。

それからさらに三十分ばかり奥に進んだ緑の草原の真ん中に、うち捨てられたソビエト軍の中型戦車が一台あった。「何かもっと大きな戦争のあとのようなものがあったら、それを写真にとりたいのですが」という松村君のリクエストにこたえて、ナムソライ中佐が「それならば」ということで僕らをそこに案内してくれたのである。この戦車は、さすがに砲塔や機銃こそ取り払われているが、あとはほとんどその当時のままに、実にきれいに原形をとどめている。おそらく戦闘中に破壊され、味方の戦車がロープで牽引《けんいん》しようとしたものの思うようにいかずに放置したらしく、ワイヤ・ロープが結びつけられたままになっている。どこかに運んでいって鉄屑《てつくず》にでもすれば、少しでもお金になるだろうにと僕なんかは思うのだが、モンゴルの人はどうやら鉄屑の回収というようなな面倒なことにはあまり興味がないようだ。足場が悪くてトラックが入り込めないような場所だからかもしれないし、あるいは回収したところで、そのあとの運送コストがかさみすぎるからかもしれない。いずれにせよそのおかげで、草原のいたるところに様々な種類の鉄製品が放りっぱなしになっており、僕らは今でも当時の熾烈《しれつ》な「鉄の戦争」の痕《こん》跡《せき》を、そのあっけらかんとした見事な消費ぶりを、眼前に見ることができる。こんなにすんなりと昔の戦争のあとが保存されている場所は、世界中探してもあまり例を見ないのではないだろうか。

それからいくつかの戦場の跡をまわった後に、我々はスンブルの立派な戦争博物館を見学した。スンブルははっきりと言って地の果てのような貧相な町だが、戦争関係のモニュメントだけはずいぶん立派なものが揃《そろ》っている。この博物館も実に堂々たる建築物で、展示品も豊富で、当時の貴重な資料や各種武器、軍用品などが手際《てぎわ》よく整理保存されている。それを見るとモンゴル人たちがノモンハン戦争＝ハルハ河戦争における勝利を——日本軍を自分たちの主張する国境線まで押し戻したのだからなにしろ勝利である

——どれほど重要なものとして考えているかということがよくわかる。しかしそれと同時に、そのような大がかりで雄弁な英雄称賛は、ハルハ河戦争がモンゴルという小さな国家にもたらした被害がいかに巨大なものであったかという事実を静かに、しかしありありと示唆《しさ》しているように思える。ロシアはグラスノスチによって、これまで隠されていた様々な歴史的資料を公開しているわけだが、それによればハルハ河戦争がこれまでソビエト側の主張していたようなソビエト・モンゴル連合軍の「圧倒的な輝かしい勝利」ではなく、その勝利を得るために彼らが払わなくてはならなかった犠牲は、日本軍のそれに負けず劣らず深刻で悲痛なものであったことがわかる。これから先もっと多くの資料が公開されれば、ノモンハン戦争＝ハルハ河戦争に対する歴史観もまた大きく変貌《へんぼう》してくるにちがいない。この戦争博物館の館長は僕らを歓迎してくれ、自ら熱心に館内を案内してくれたのだが（なかなか親切な人だった）、残念なことに停電のせいで真っ暗だったので、展示物をそれほど詳しく見ることができなかった。慢性的な電力不足のため、昼間の何時間かは送電が停止されるらしい。

スンブルからチョイバルサンまでの長い帰り道の途中で、草原の真ん中に一匹の狼《おおかみ》をみつけた。モンゴル人は狼をみつけると、必ず殺す。ほとんど条件反射的に殺す。遊牧民である彼らにとって、狼というのは見かければその場で殺すしかない動物なのだ。動物愛護などという概念はこの国にはまったく存在しない。運転手は「行くか」も何もなく、さっさと道を外れてジープを草原の中に乗り入れる。チョグマントラ中尉《ちゅうい》は座席の下から馴《な》れた手付きでAK47自動小銃を取り出し、そこにマガジンをセットする。彼はマガジンを、黒いプラスチックのアタッシェ・ケースに入れていつも持ち歩いているのだ。そしてジープのドアを開けて身を乗りだし、狙《ねら》いを定めて単発で、逃げる狼を撃ちはじめる。草原の真ん中で聞くAK47の銃声は「ぱあん、ぱあん」という乾いた小さな音で、想像したような凄《すご》みはあまりない。映画のサウンドトラックで聞くような、耳を聾《ろう》する轟音《ごうおん》ではない。むしろそれは非現実的に聞こえる。どこかずっと遠くの世界でおこなわれている、僕には関係のないものごとの営みのように感じられる。僕は頭の中で、「そうだ、僕は今モンゴルの草原の真ん中にいて、そのとなりでチョグマントラが狼を撃っているんだな」とまるで他人事《ひとごと》のようにぼんやりと考えている。走って逃げる狼のまわりに、ぱっぱっと着弾の砂煙が上がる。しかし狼の動きは素早く、なかなか弾はあたらない。かすりもしない。狼はジープとの距離を計算し、小回りのよさを利用して、さっさっと向きを変えながら逃げる。最初のマガジンが空になり、チョグマントラは舌打ちしながら新しいマガジンをかしゃっとセットする。この男はいったいいくつマガジンを用意しているのだろう。運転手のナスンジャルグルは何も言わず唇をぎゅっと嚙《か》みしめて、ハンドルを右に左に切り、狼を追い詰める。結局のところ、最初から狼に勝ち目はない。狼のフットワークはいかにも敏捷《びんしょう》でクレバーだが、残念ながら彼らにはそれに見合うだけの持続力というものが備わっていない。あるいは彼らは馬には勝てるかもしれない——その確率はだいたい五分五分だとモンゴル人たちは言う。しかし遮蔽物《しゃへいぶつ》も溝も起伏も木立も何もないまっ平らな大草原の真ん中では、狼は四輪駆動車にはまず勝てない。自動車は決して疲れないからだ。それはただの大きな鉄の機械であり、肺というものを持たない。十分で狼は完全にへたってしまう。その肺はもう破裂寸前なのだ。狼は立ち止まり、肩で大きく息をし、覚悟を決めたように僕らのほうをじっと見つめる。どうあがいてもそれ以上逃げ切れないことを、狼は知っている。そこにはもう選択肢というものはない。死ぬしかないのだ。

チョグマントラは運転手にジープを停めさせ、ライフルの銃身をドアに固定し、照準を狼にあわせる。彼は急がない。狼がもうどこにも行かないことを彼は知っている。そのあいだ狼は不思議なくらい澄んだ目で僕らを見ている。狼は銃口を見つめ、僕らを見つめ、また銃口を見つめる。いろんな強烈な感情がひとつに混じりあった目だ。恐怖と、絶望と、混乱と、困惑と、あきらめと、……それから僕にはよくわからない何か。

一発でその狼は地面に倒れる。身体《からだ》がしばらく痙攣《けいれん》しているが、やがてそれも終わる。小柄な雌の狼だ。季節からして、子供のために餌《えさ》を探していたのかもしれない。僕はそのやせっぽちの狼が、鉄の車と鉛の弾丸からなんとか逃げ切ることを内心祈っていたのだが、結局奇跡は起こらなかった。死体に近寄ってみると、狼は恐怖のあまり脱糞していた。肩の少し後ろに銃弾は命中している。それほど大きな弾痕ではない。上着のボタンくらいの大きさの、丸い血の染《し》みが現われているだけだ。ナスンジャルグルがポケットからよく切れる大きな狩猟用ナイフを取り出し（どうやらこの人たちはいつも手元に自動小銃やらナイフやらを置いて暮らしているらしい）、狼の尻尾《しっぽ》を要領よくすっぱりと切り取る。そして切り取った尻尾を、狼の頭の下に敷く。これはモンゴル人の狩猟のおまじないのようなもので、「またこのように獲物に恵まれますように」という意味を持っている、ということである。

狼を殺してしまうと、そのあと我々はみんな不思議に無口になった。長いあいだ誰もほとんど口をきかなかった。ナスンジャルグルは奇妙なロシア語レゲエのカセット・テープをデッキに入れ、それを聴き始めた。夕陽が草原の西にゆっくりと傾き、見事な夕焼けが雲を染め、空の青が藍《あい》色に、そして紺色に変化していく中を、我々は終始西に向かった。まるで沈んでいく太陽をどこまでも追いかけるみたいに。でも言うまでもないことだが、今度は我々には勝ち目はない。あたりが暗くなるにしたがって、いたるところで道路をウサギが横切るようになった。明るいうちはモンゴル鷹《たか》に狙われて穴の外に出ることができないから、彼らは日が暮れるのをじっと待っていたのだ。そういえば、モンゴル鷹の姿はもうどこにも見えない。きっと鷹たちは、この草原のどこかにある彼らのねぐらで静かに休んでいるのだろう。明日の朝がくるまで。そして明日が終り、明後日《あさって》が来てまた明後日が終り……。

僕らがチョイバルサンの町にようやく帰りついたのは結局夜中の一時だった。とにかくろくに口もきけないくらい、くたくたに疲れていた。あまり冷えていないビールをとりあえずいっぱいだけ飲んで、そのままホテルのベッドに倒れこんだ。ろくでもない町のろくでもないホテルのろくでもない部屋だったが（水道の水は一晩中流れっぱなしでものすごい音を立てていたし、ドアは閉まらなかったし、天井から下がった裸電球の他に明かりはなかったし、雰囲気はおそろしく陰鬱《いんうつ》だった）、そんなものはべつにどうでもよかった。横になってぐっすりと眠ることができれば、それでオーケーだった。それにこれまでに僕が泊まった世界中の世界の果てのろくでもないホテルのことを思えば、こんなのはまだましなほうだ。でも僕はなかなか寝つけなかった。昼のあいだにあまりにも多くの強烈な光景を目にしたせいかもしれない。僕は錆びたソビエトの戦車や、鉄の破片が一面にばらまかれた戦場のあとや、チョグマントラに撃ち殺された雌狼の静かな目を忘れることができなかった。僕はふと思い出して砂丘の砂の中から拾ってきた臼砲弾の部分と銃弾をかばんから取り出し、砂を払って机の上に置いた。それらを陰鬱なホテルの一室のテーブルの上に置くと、なんだか時間の座標軸が少しずつゆるんで壊れていくような不思議な気がした。それらはこのホテルの部屋の中では、僕が砂丘の中でみつけたときとはずいぶん印象が違って見えた。僕は超自然的なものごとを崇拝する人間ではない。どちらかといえば日常的にはまっとうに現実的な人間として知られている。しかしそのときだけは、僕はそこに何かの濃密な「気配」のようなものの存在を感じないわけにはいかなかった。本当はこんなものを持ってくるべきじゃなかったのかもしれないと僕はふと思った。あそこにあのまま置いておくべきだったのかもしれない。でももう遅い。

真夜中に目覚めたとき、それは世界を激しく揺さぶっていた。部屋全体がまるでシェーカーに入れられて思いきり強く振られているみたいに上下に大きく振動していた。自分の手さえ見えない真《ま》っ暗闇《くらやみ》の中で、あらゆるものががたがたと音を立てていた。いったい何が起こったのか、何が進行しつつあるのか、僕には見当もつかなかったけれど、とにかくベッドからとび起きて、電灯を点《つ》けようとした。でも激しい揺れのせいで床に立つことすらできなかった。だいたいどこに電灯があるのか思い出せない。僕はよろけて転び、それからベッドの枠を持ってなんとかまた起き上がった。きっと大地震がきたんだろうと僕は思った。どうやらそれは世界中をばらばらにしてしまいそうなくらい激しい地震であるようだった。なにはともあれ早くここから出なくては——どれくらい時間がかかったのかよくわからない。でも僕はなんとか必死でドアの前までたどり着き、手探りで壁の電灯のスイッチを入れた。そしてその途端に、振動はさっとやんだ。明かりがつき、暗闇が消滅すると、一瞬にして部屋はしんと静まり返った。まるで嘘《うそ》のように、物音ひとつしなかった。何も揺れてはいなかった。時計の針は午前二時半ちょうどを指していた。いったい何がどうなっているのか、僕にはわけがわからなかった。

　でもそれから僕ははっと気づいた。揺れていたのは部屋ではなく、世界ではなく、僕自身だったのだということに。それがわかると、身体の芯《しん》まで冷たくなった。自分の手と足の感覚がうまくつかめないままに、僕はそこにじっと立ちすくんでいた。それほど深く理不尽な恐怖を味わったのは生まれて初めてだった。それほど暗い闇を見たのも初めてだった。なにはともあれ僕はその部屋にはもういたくなかった。とてもそんなことはできない。しかたないので僕はとなりの松村君の部屋に入って（うまい具合にこのホテルの部屋はどこも内側からは鍵《かぎ》がかからないようになっていた、何故《なぜ》かは不明だが）、昏倒《こんとう》したように眠っている彼のとなりの床に腰をおろし、夜が明けるのをただじっと待った。夜は永遠に続くかと思えたが、四時過ぎになってようやく東の空が少しずつ白んできた。鳥も鳴きはじめた。そしてその朝の光とともに、僕の中の凍りついたような恐怖もだんだん溶けて消えていった。まるで憑《つ》き物が落ちるみたいに。僕はそっと自分の部屋に戻り、ベッドに入った。もう怖くはなかった。夜ベッドに入るときに感じたような嫌な感じもしなかった。僕はむしろ安らぎのようなものさえ感じていた。それは闇とともにどこかに去ったのだ。僕はそのまま朝の光の中でぐっすりと眠り、そして目覚めた。

ウランバートルから北京に戻り、そのまま空港で乗り換えて東京に帰ってきた。飛行機の中のＮＨＫニュースは、村山首相がナポリ・サミットで倒れたことを報道していた。村山首相？　僕が東京を出たときは、たしか羽田《はた》首相だったのだけれど。そしてその同じ日に、金日成主席の死が明らかにされた。僕が満州からモンゴルにかけてうろうろとしている二週間のあいだに、こっち側の世界ではいろんなことが僕とは無関係に進行していたようだった。そして今、約一カ月後、モンゴルの草原を遠く離れた場所で、そのほとんど対極にあると言えそうな場所で、僕はこの原稿を書いている。

でもチョイバルサンのうらぶれたホテルの一室で、僕が午前二時半に経験したあの激しい世界の震えは、まだ身体の中にはっきりと残っている。今でもその震えと、その恐怖の感触を僕は鮮やかに思い出すことができる。でもそれがいったい何であったのか、僕はいまだに理解できないでいる。ずいぶん考えてみたのだけれど、その出来事についてのうまい説明を思いつくことができない。そのときに僕が感じた恐怖の質を、言葉を使って他人に伝えることも不可能だ。それは道路の真ん中にぽっかりと開いた穴から、はるか世界の深淵《しんえん》を覗《のぞ》き見るのと同じくらい怖いことだったのだ――少なくとも僕にとっては。

でも時間の経過とともに、僕は何となくこう考えるようになった。それは――その振動や闇や恐怖や気配は――外部から突然やってきたものではなく、むしろ僕という人間の内側にもともと存在したものだったのではなかったかと。何かがきっかけのようなものをつかんで僕の中にあるそれを激しくこじ開けただけだったのではないかと。ちょうど小学校時代に本で見たノモンハン戦争の古ぼけた写真が、とくに明確な理由もないままに僕を魅了し、その三十何年か後にはるばる僕をモンゴルの草原の奥にまで連れていったのと同じように……。それはずいぶん遠くにまで僕を運んでいったわけだ。でも僕にはうまく表現できないのだけれど、どんなに遠くまで行っても、いや遠くに行けば行くほど、僕らがそこで発見するものはただの僕ら自身でしかないんじゃないかという気がする。狼も、臼砲弾も、停電の薄暗闇の中の戦争博物館も、結局はみんな僕自身の一部でしかなかったのではないか、それらは僕によって発見されるのを、そこでじっと待っていただけなのではないだろうかと。

でも少なくとも僕はそれらがそこにあり、あったことを決して忘れないだろう。忘れ、な、い、こと、それ以外に僕にできることはおそらくなにもないのだから。

ハルハ河畔で。

アメリカ大陸を横断しよう

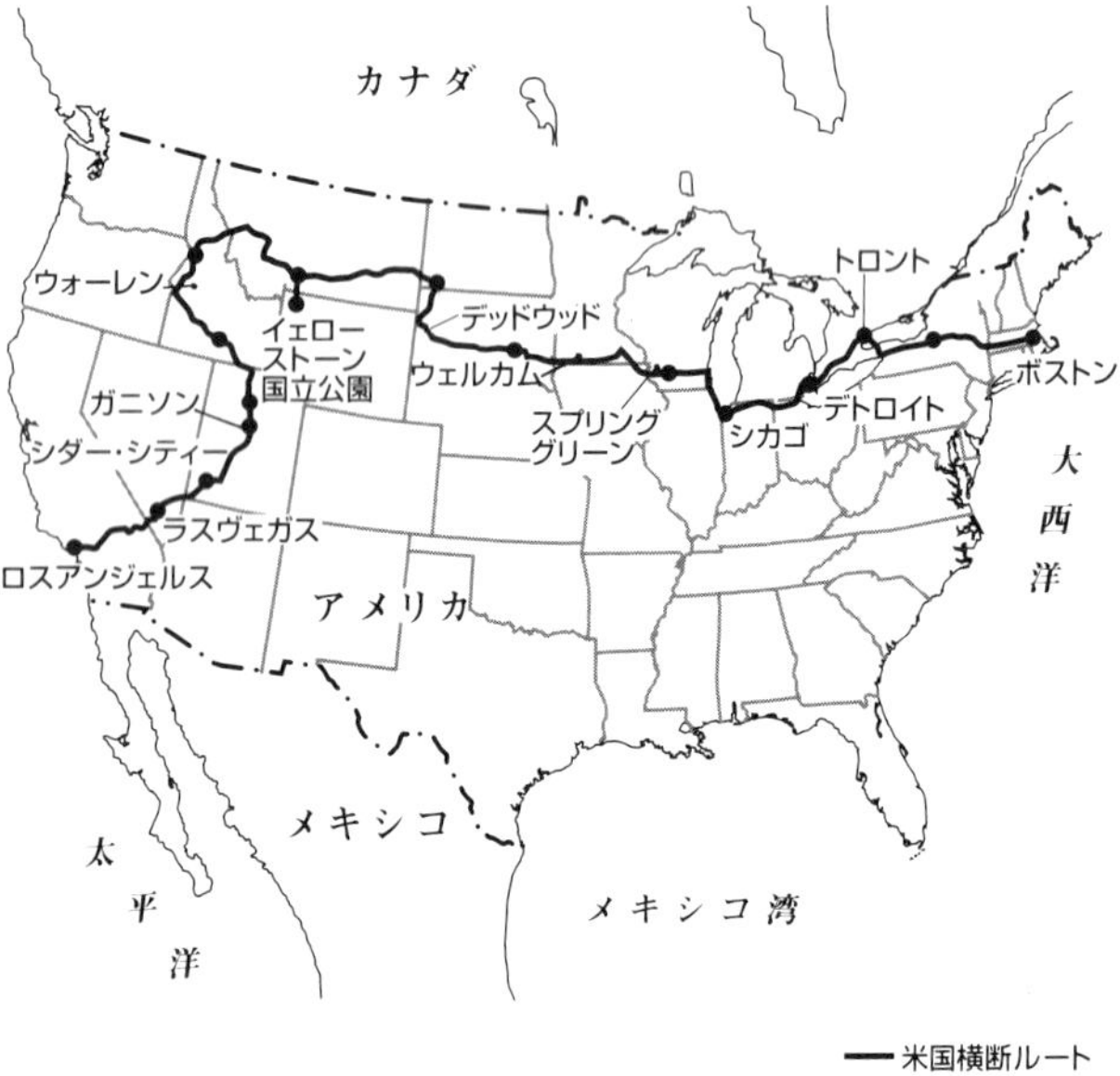

カナダ
ウォーレン
イェロー
ストーン
国立公園
デッドウッド
ウェルカム
スプリング
グリーン
トロント
ボストン
デトロイト
シカゴ
ガニソン
シダー・シティー
ラスヴェガス
ロスアンジェルス
アメリカ
大西洋
メキシコ
メキシコ湾
太平洋
米国横断ルート

95年6月。雑誌「シンラ」の連載の文章（二回分）として書いたのだが、本書に収録するにあたって加筆した。同行者はまたまた松村映三君。こんな長旅に延々とつきあってくれるカメラマンは彼くらいしかいない。実際にハンドルを握って大陸横断してみると、アメリカってほんとうにでかい国だなあとわかる。地域ごとに文化や服装ががらがらと音を立てて変わっていく。それから感心したのはガソリンが安いことと、有料道路がほとんどないこと。食事と宿泊施設が救いがたく単調だったこと。もう一回横断してみたいかと訊《き》かれたら、「うーん」と首をひねるしかないような気がする。

60号線、ウィスコンシン州スプリンググリーンあたり。

病としての旅行、牛の値段、退屈なモーテル

たっぷりと時間をかけて車でアメリカ大陸横断旅行をしてみたいと、前々から考えていた。というか、もっと正確にいうならば、ずっと夢見ていた。「そこには何か目的があるのか？」と訊《き》かれても困る。特別な目的なんてなにもないからだ。大西洋の波打ち際《ぎわ》から太平洋の波打ち際まで、山を越え川を渡り、とにかくアメリカを一気に突っ切ってしまおうじゃないか——僕が望んでいたのはただそれだけのことである。「行為自体が目的である」と明快に言いきってしまえれば、それはそれでかっこいいのだろうけれど……。

いずれにせよ、長い旅行にでかけるという行為には、狂気とまではいわずとも、何か理不尽なものが間違いなく潜んでいる。だいたいどうしてそんなしちめんどうなことをしなくてはならないのか？ 時間もかかるし、費用だって馬鹿《ばか》にならないし、それでい

てけっこう疲れる。トラブルが降りかかることもある。いや、「降りかからないこともたまにある」と言ったほうが話は早いかもしれない。スクラブル・ゲームの広告のコピーはいつも「これなら家でスクラブルでもしていればよかったな」というもので、旅先でいろんな災難にあっている気の毒な旅行者の漫画が描かれている。僕はその広告を見るたびに、「そうだ。まったくそのとおりだ」と強く頷《うなず》いてしまう。旅行とはトラブルのショーケースである。ほんとうに家でスクラブルでもしているほうがはるかにまともなのだ。それがわかっているのに、僕らはついつい旅に出てしまう。目に見えない力に袖《そで》を引かれて、ふらふらと崖《がけ》っぷちにつれて行かれるみたいに。そして家に帰ってきて、柔らかい馴染《なじ》みのソファに腰をおろし、つくづく思う。「ああ、家がいちばんだ」と。そうですね？

それはむしろ病に似ている。僕らは（少なくとも僕はということだけれど）本棚から地図を取り出してページを開き、机の上に置いてじっとそれを眺める。地図というのは魅惑的なものだ。そこにはまだ自分が行ったことのない地域が広がっている。穏やかに、無口に、しかし挑戦的に。聞き覚えのない地名が並んでいる。渡ったことのない大きな河が流れて、見たことのない高い山脈が連なっている。湖や入り江はどういうわけか、どれもすごくチャーミングなかたちをしている。ろくでもない砂漠でさえ、あらがいがたくロマンティックに見えてくる。

地図の上の、そんな自分がまだ行ったことのない場所をじっと眺めていると、妖女《ようじょ》の歌を聴いているときのように、心がどんどんそこに引き込まれていく。胸がわくわくとするのが感じられる。アドレナリンが飢えた野犬のように血管を駆けめぐる。肌が新しい風のそよぎを求めているのがわかる。チャンスの匂《にお》いが、破城槌のごとく激しくドアを叩《たた》く。いったんそこに行けば、人生をぐらぐらと揺り動かすような何か重大なことに巡り合えるような気がする（実際には、そんなことはきわめて象徴的な領域でしか起こりえないのだけれど）。

そんなわけで、僕は（例によって）写真の松村君と二人で、二週間を超えるアメリカ横断の長旅に出かけることになった。道筋は有名な南回りの「ルート66」コースではなくてあくまで渋い玄人《くろうと》好みの（かどうかは知らんけれど）北回りのコースである。イリノイ、ウィスコンシン、アイオワ、ミネソタ、サウス・ダコタ、アイダホ、ワイオミング、ユタ……それもたっぷりと時間をかけて、味けのないインターステート（州間高速道路）よりはむしろローカルなバック・ハイウェイ中心に旅行をしたい。

もっとも僕の持っているフォルクスワーゲン・コラードでは長距離旅行はいささかし

んどいので（お尻《しり》が痛いし、荷物があまり積めない）、ボルボ850エステートを旅行用に借りることにした。最初は昔ながらのフルサイズのアメリカ製のステーション・ワゴンを借りようかとも思ったのだけれど、実際に目の前で見るとその恐竜みたいな非現実的なサイズに圧倒されて、やっぱりうっとひるんでしまった。あんなもので縦列駐車することを考えただけで冷や汗が出る。ボルボは正直言ってあまりスリリングな車とはいえないけれど、シートの具合がすごく良くて、二週間座りっぱなしでほとんど体が痛くならなかった。腰に問題のある方にはおすすめしたいと思う。

「そんな旅行にはとてもつきあっていられないから、私は東京に戻ってのんびりしているわ」といううちの奥さんをボストンのローガン空港から成田行きの飛行機に乗せて（かなりまともな考え方だ）、その足でいよいよ西海岸へと向かう。僕らの目的地は、約八千キロの彼方《かなた》にあるロスアンジェルスのロングビーチである。

まずマサチューセッツからアップステート・ニューヨークを抜けて、ナイアガラのあたりからいったんカナダに入る（ナイアガラって、何度行ってもうるさいところだ）。トロントに住んでいる日本文学研究者のテッド・グーセンさんのお宅を訪れるためだ。一度遊びに来てくれと前々から誘われていたので、お言葉に甘えて立ち寄ったのだ。テッドはもともとはアメリカ人なのだが、ヴェトナム戦争時に徴兵されることを嫌って、カナダに移り、そのままずっとここに住み着いている。彼はトロントから一時間くらいの距離にある山の中に隠遁《いんとん》用のコッテージを持っていて、僕らはそこに泊めてもらった。ずいぶん山深いところで、ビーバーやヤマアラシや鹿《しか》、狼《おおかみ》、ラクーンなんかが出てくるということである。ワインを飲み、ボブ・ディランの古いレコードを聴き（そう、我々はその世代なのだ）、サーモンを焼き、庭で摘んできたアスパラガスを食べた。一晩いろんな話をした。それから……ああ、これ書くとまずいな。

カナダから国境を再び越えて、デトロイトへと向かう。そしてオハイオ、インディアナを通ってシカゴに行く。ここまでは大して面白いことは何もない。はっきり言ってしまえば退屈きわまりない旅である。ただ前を見てアクセルを踏んで、過ぎ去っていく非印象的な光景を眺めているだけだ。一日の平均走行距離はおおよそ五百キロ。二人で交代で運転し、どこから眺めても非印象的なモーテルに泊まり、朝にパンケーキを食べ、昼にはハンバーガーを食べる。毎日が同じことの繰り返しだ。モーテルの看板だけが変化する。ホリデイ・イン、コンフォート・イン、ベスト・ウェスタン、トラヴェロッジ……。

いや、正確に言えば退屈なことばかりではなかった。退屈とは言えないことのひとつは、かなり頻繁に警官に車を止められることだ。といっても僕らが無茶苦茶な運転をしたということではない（たしかに誰も見ていないアリゾナの砂漠の真ん中では、エルトン・ジョンの『メイド・イン・イングランド』を聴きながら時速二百キロを出したけれど、それはあくまで例外的な行為である）。アメリカのハイウェイではふつうは十五マイルオーバーくらいでほかの車の自然な流れに合わせているつもりなのだが、それでもなぜか止められる。赤いランプを点滅させたパトカーが僕らのあとをついてくる。「あれ、変だな。まさか僕らが止められるはずないのにな」と首をかしげているうちに、ぱぽぱぽとサイレンが鳴って、路肩に寄れという合図をされる。でも警官は僕らの免許証をチェックし、車の中に頭を突っ込んでじろじろ中を見るだけで、違反切符は切らない。「これからスピード・オーバーに気をつけるように」という警告切符《ウォーニング・チケット》をもらうだけだ。

変だな、どうして僕らだけいつも止められるのだろうとよくよく考えてみたのだが、結局僕らが他州ナンバーのワゴン車に乗って、リア・ウィンドウに黒いシールドを張っているからららしいということが判明した。おまけに松村君は日焼けしていて、遠くからみるとヒスパニック系の若者に見えるという外見上の問題を抱えていた。これらははっきりと言って、麻薬のトラフィッカーの特徴なのである。だから警官たちは我々の姿を見てはっと警戒心をかきたてられ、車を停止させて、荷室に何かあやしいものを積んでいないかチェックしたかっただけなのだ。

しかしこれには正直言って参った。いつもどこかに覆面パトカーがいやしないかと注意深く目を光らせていなくてはならないからだ。松村君が外見的にたとえばミッキーマウスとかシンディー・ローパーとかに似ていたらたぶんこんな問題も起きなかったのではないかと推測されるのだけれど、言うまでもなく、それは彼の個人的な責任ではない。でもそのようなパトカー問題を別にすれば、最初の五日間はとにかくつくづく退屈な旅だった。

旅がようやくカラフルになり始めたのはシカゴを通り抜けて、ウィスコンシン州に入ってからである。いや、「カラフル」という表現は正しくないかもしれない。実際の話、そこには全然カラフルな要素なんてなかったからだ。正確に表現するならむしろ僕らの旅行をとりまく環境は「より退屈になった」というほうが真実に近いかもしれない。しかしその退屈さは、それまでの地域が我々に与えてくれた退屈さとは違った種類の目新しい退屈さであり、それが僕にとってはなかなか刺激的と呼べなくもなかったということとである。早い話、そのあたりから僕らはようやくアメリカのハートランドのそのまた中心《ハート》に入り始めていたわけだ。

まず車のラジオから流れる音楽の種類ががらりと変わってくる。カントリー・ミュージックのステーションが圧倒的に多くなり、ジャズやラップ・ミュージックはどれだけカー・ステレオのサーチボタンを押しても聴こえてこない。おかげで僕は、まあ心ならずも、カントリー・ミュージックの流行状況にずいぶん詳しくなった。はっきり言ってだいたいはろくでもない歌だったけれど、『テキサス・トルネード』というヒットソングだけはけっこうしんみりして悪くなかった（君はテキサスの竜巻で、僕はタンブルウィードのように翻弄《ほんろう》される……）。誰が歌っているのかは知らないけれど、この曲はまるで今回の旅行のテーマソングみたいになって、カリフォルニアにたどり着くまでにそれこそ耳にたこができるくらい何度も何度も聴かされた。マイケル・ジャクソンの新譜なんてただの一回もかからなかった……とくに聴きたいわけではなかったけど。

モーテルの部屋でテレビの朝のニュースをつけると、O・J・シンプソン裁判の進展ぶりのお知らせのあとで、「今日の家畜の値段」を延々と聞かされる羽目になる。何々種の何歳牛の値段がいくらで、何々種の豚一頭の値段がいくらでというようなことを、年輩のニュースキャスターがまじめな顔で淡々と読み上げる。ニューヨークのニュースが交通情報を流したり、ハワイのニュースが波の状況を流したりするのと同じように。読み上げる数字によっては、キャスターはちょっと感心したり、顔をしかめたりする。なるほどね、アメリカというのは真剣に大きな国だったんだなとつくづく実感する。

夜にテレビをつけると、カントリー・ダンス大会というのをよくやっていた。カウボーイハットをかぶって彫り物入りのブーツを履いた沢山の男たちが、綿菓子みたいにもわっと髪をふくらませた派手めのお姉さんたちと、カントリー音楽にあわせて、ステップを揃《そろ》えて楽しそうに踊っているのだ。ただそれだけのことなのだが、これはいったん見だすと、不思議なくらいけっこう熱心に見てしまうものである。どうしてだろう。

それから僕は知らなかったけれど、世の中にはカントリー音楽専門のＭＴＶまであるのだ。朝から夜中まで、延々とカントリー・ミュージックのビデオを流している。まったくたいしたものだ。

車の窓の外に見える光景は見事なばかりに——おそらく芸術的と言えるまでに——退屈なものになってくる。そこに存在するのは、牧場と農場とときおりの看板だけだ。どこまでいっても、どこまでいっても、どこまでいっても、牧場と農場とときおりのモーテルの看板だけしか目に映らないのだ。それ以外にはほとんど何も目に映らない。

道はおおかたの場合、トルストイの小説に出てくる正直な農夫の魂のごとく、痛々しいまでにまっすぐであり、視力さえよければものすごく遠くまで見渡せる。でもものすごく遠くまで見渡せても、とくに心楽しくはない。なぜならものすごく遠くに見えるのは、同じような農場と牧場とときおりの看板だけだからだ。

たまにすれ違う車の大半は家畜運搬車かピックアップ・トラックである。ボストンからアイオワにやって来ることは、正直な話、東京からボストンにやって来るより遥《はる》かに大きなカルチャーショックを僕にもたらしたような気がする。こんなところで毎日毎日牛を見て、カントリー・ミュージックを聴くという生活を送っていたら、何もフランチェスカさん（アイオワ州マディソン郡のあのひとです）じゃなくたって、そりゃ人生にいくぶん飽いちゃうかもしれないと思う。

農家はみんなどれもこれも、だいたい同じかっこうをしている。正面に大きな納屋《なや》がどんとあり、乾燥飼料を入れるサイロがあり、長い長い柵《さく》がある。柵の中には牛がいっぱいいる。牛もなかなか可愛《かわい》い動物ではあるけれど、あまり沢山いると、やはり見飽きてくる。世の中のたいていのものごとにはそういう傾向――沢山ある（いる）と見飽きる――があるが、牛もやはりその例外ではない。ただ見飽きるというだけではなく、そのうちに牛を見るという行為に真剣に疲れてくるようになる。どうしてこんなにいっぱい世の中に牛がいなくちゃならないんだろうと思って、イライラするようになる。

そんな光景が毎日毎日どれだけ車をとばしても、いつ果てるともなく永遠に続くのだ。まるで前に見た牛が先回りしてまた僕らを待っているんじゃないかという、ちょっと無意味な錯覚に襲われるようにさえなる。

しかしすげえところに来ちゃったよなあ、と思う。結局のところ、僕がこれまでに見ていたアメリカというのは、この国のほんとうの一部分にすぎなかったのだ。


風景もかくのごとく退屈だが、三度三度食事をとるレストランも、毎晩泊まるモーテルも、それに負けず劣らずまた見事に退屈な代物《しろもの》である。どれもこれもあまりにも無個性に似通っているので、そのうちにどれがどれだったか、ほとんど区別がつかなくなってくる。

モーテルを選択するのは原理的には簡単だけれど、実際的にはなかなかむずかしい。「どれでも同じなんだからなんだっていいじゃないか」と思うのだけれど、かといって具体的にどれかひとつは選ばなくてはならない。だから夕暮れになってきた頃に、捨て鉢な気持ちで、「まあ、これくらいでいいかな」という見当をつけてひょいと無根拠に選んでしまうわけだが、そんなことを日々続けていると、そのうちにもともと自分の中にあったはずの「何がよくて何が悪いのか」という基本的な価値基準のようなものが、だんだん揺らいで、不明確になってくる。これは本当です。モーテルというイメージが頭に浮かぶと、ほとんど同時に思考力にすうっとミルク色の霧のようなものがかかり、僕らはものすごく長いパイプのような格好をした「継続性」の中に呑《の》み込まれていくことになる。そこでは時間は金太郎飴《あめ》のように流れる。前と後の違いがわからなくなってくる。昨日と明日の違いがわからなくなってくる。日常と非日常の違いがわからなくなってくる。感動と無感動の違いがわからなくなってくる。そこに存在するものは、テレビとベッドとバスという記号のみである。テレビとベッドとバス。テレビとベッドとバス。テレビとベッドとバス。それの限りのない繰り返しである。それは人の心を徐々に蝕《むしば》んでいく。

僕は旅行のあいだずっとトラヴェル・ログをつけていたのだが（どんな旅行に行っても僕は必ず毎日トラヴェル・ログを丹念につける。僕は人間の記憶というものを――その中でもとりわけ僕の記憶を――まったくあてにしていないから）、アメリカ中西部のモーテルとレストランについてはさすがに、途中からもうなにも書くべきことを思いつけなくなった。だから今手帳のページを繰っても、書いてあるのはほとんどモーテルの名前と部屋代だけだ。そこには特徴というものがないのだ。いや、たとえ特徴があった

ボルボ850エステートでアメリカ8000キロの道を行く。

モーテル「アルズ・オアシス」。サウス・ダコタ州チェンバレン。

としても、その特徴には特徴的意味がないのだ。特徴的意味を持たない特徴というのは、配列が明確でない辞書に似ている。どれだけかかわりあっても、時間をすりつぶすだけで、どこにも行かない。

でもただひとつだけ、僕らはそのような無名的モーテルから別の無名的モーテルへと泊まり歩きながら、アメリカにおけるモーテルについての貴重な教訓を学んだ。それは「温水プールのついているモーテルには泊まるな」ということである。

なぜならまず第一に、街道モーテルの温水プールなんて、狭くて（だいたいにおいて）水が汚れていて、とてもまともに泳げた代物ではないからだ。第二に、建物の中に温水プールがあるために（ほとんどの場合、屋内中庭に設置されている）、建物じゅうが湿気を含んでもわっとしているからだ。要するに全館サウナみたいになっているところが多いわけだ。僕らはこの手の温水プールつきモーテルにはずいぶんひどい目にあわされた。インディアナ州の小さな町のモーテルに泊まったときには、まるでバンコック空港でのトランジットを想起させる寝苦しい一夜を送ることになった。みなさんもどうか気をつけてください。「温水プールのあるモーテルには泊まるな」です。それ以外に、モーテルについて語るべきことはほとんどないように僕には思える。

レストランについて語るべきことはもっとない。いったいそこで何を食べていたのか

——生命を維持するためにきっと何かを食べていたはずなのだが——僕にはほとんど思い出せない。不幸な幼児期の暗い記憶のように、それは意識の押入の奥深くに押し込まれているのだろう。そして僕はそれをあえて掘り起こしたいという気持ちにはなれないのだ。ぜんぜん。

ウェルカムという名の町、西部のチャイナタウン、ユタの人々

アメリカには実にいろんな不思議な名前の町がある。ミネソタには「ウェルカム（WELCOME）」という名前の町があった。僕と松村君はだだっ広くてフラットで、ほとんど牛の姿しか見えない中西部を延々と西に向かって進むことにけっこう疲れはてていたので、その看板を見て、ついふらふらとハイウェイを降りてしまった。その町に行けばひょっとして何かいいことがあるんじゃないか、何か面白いものが見られるんじゃないかと期待したわけだ。町の入口に「WELCOME」という簡単な看板が立っていて、人口七百九十人とある。いちおう町を向こう側まで通り過ぎてみたのだけれど（入口のちょっと先がもう向こう側だった）、名前のほかにはとくになんという特徴もない、ごく普通の中西部の田舎町だった。町に入ると、みんなが寄ってきて「やあやあ、よく来なすった」と挨拶《あいさつ》をしてくれるわけでもない。にこやかなご婦人が遠来の客にアイスティーのグラスを差し出してくれるわけでもない。逆に、我々の素性を怪しんだらしいパトカーにしばらくあとをつけまわされて閉口した。ふん、何がウェルカムだい……とも言

いたくなる。まあいいんだけどね。

でもとにかくこのへんの男たちはみんな、申し合わせたみたいに帽子をかぶっている。ステットソンか、あるいはトラクター・メイカーの野球帽型のキャップ。無帽で歩いている人はまず見かけない。黒人の姿もほとんど（というかただの一人も）見かけなかった。タバコを吸う人が多く、デカフェ・コーヒーなんてものはあまり見かけなくなる。ブレット・イーストン・エリスの本を読む人もいない。ウィントン・マルサリスのファンも（おそらく）いない。レストランにはキッシュはおいてない。どういうわけかセイウチみたいに太った人が多い。場所によってはビールを注文するとグラスの中にオリーブが入ってくる――いったいなんのためなのか、生まれつき想像力に乏しい僕には想像がつかない。

ウェルカムのもっと先にあるサウス・ダコタの山奥の町に、昔のチャイナタウンのあとが残っているというので、そこを訪ねてみた。実を言うと写真の松村君は世界中をまわってチャイナタウンばかり写している本格的な「チャイナタウンおたく」なので、チャイナタウンがあるというからには、やはりちょっと立ち寄らないわけにはいかない。

ここはデッドウッド（DEADWOOD）という名前の、ワイルド・ビル・ヒコックが酒場で撃ち殺された場所としてちょっと有名な金鉱の町であるが、今ではカジノの町としてまあまあ栄えている。一口で言うと、ラスヴェガスをものすごく小さくして、そこから豪華さと洒落《しゃれ》っけを取り去って、おまけに天気をぐっと悪くしたような場所だ。メインストリートにずらっとばくち場が並び、太鼓腹の善男善女が小銭の入ったプラスチック・ボウルを大事そうに抱えて、じゃらじゃらと音を立ててスロットマシーンに向かっている。僕は賭博《とばく》にはとくに興味がないので、カジノはほとんど素通りして、地下チャイナタウン・ツアーというのに参加してみた。参加したといっても客は僕と写真の松村君だけで、ほかには誰もいない。みんなばくちに忙しくて、サウス・ダコタの山奥の湿っぽい穴蔵に降りて昔のチャイナタウンのあとを見物しようというような酔狂な人間はいないのだ（その気持ちはわからないでもない）。入口では、暗い顔をした神経質そうな青年がひとりで番をしていたが、すごくすごく退屈そうだった。

ゴールドラッシュで新しい町ができたという話を聞いて、中国人たちはサン・フランシスコから馬車に揺られ、インディアンに襲撃されながら、はるばるサウス・ダコタの山奥までやってきたのだ。手に職を持たない貧しい出稼ぎの中国人たちは、どこかに仕事の口があると聞けば、万里の道をも厭《いと》わなかった。でもどうしてここの中国人たちが町の地下に大がかりな迷路のようなものを作ったかという理由は、今では正確にはわからない。中国人移民が町の白人たちによって虐《しいた》げられていて、夜中には安心して表を歩

巨大な野牛人形。
レストランの看板か？
90号線、サウス・ダコタ州
チェンバレンあたり。

サウス・ダコタ州デッドウッドの
カジノの呼び込み。

けなかったからだ（当時は荒っぽい西部の町だったから）という説もある。逆に中国人たちは白人の世界を避けて、自分たちだけの世界に閉じこもりたがって、地下に秘密の小世界を築いていたのだという説もある。たしかに地下の通路の中には阿片《あへん》を吸引するための小部屋や、賭博のための小部屋も作られていた。僕は地下の世界というものには昔からいささかの興味があるので、これは面白く見物した。しかしみんなで穴を掘って、ひとつの町の下に自分たちだけの「別の町」を作ってしまうという当時の中国人の発想とエネルギーは、やはりとんでもないものだと思う。

ついでだからアイダホでは、やはり昔のチャイナタウンを求めて、ウォーレンという町に行ってみた。ここは本当の山奥の山奥で、道路も舗装されていない。一般道路から脇道《わきみち》に入って、二時間くらいかけてやっとここに到着する。いかにも美しい風景だが、最近大きな山火事があったらしく林は無惨に焼けこげていた。西部のたいていの金鉱の町は、今ではみんなゴーストタウンになっているが、このウォーレンだけは今でも現役の金鉱の町である。というか、現役のゴーストタウンである。というのは、ここにはまだ人が二十人くらい住みついて細々と金を掘っているからだ。だからそういう人たちを相手にする小さなサロンみたいなバーが一軒だけある。それ以外には店もなにもない。

生活物資はヘリコプターで運ばれてくる。この町にいると、なんだか歴史の流れに置き忘れられた場所にふらりと入り込んでしまったような気がする。僕はここの町のバーに入って、冷たいバドワイザー・ドラフトを飲んで、マッシュルーム・ハンバーガーを食べた。ウェイトレスは特に冷酷ではなかったけれど、「食べ終わったらすぐに出て行っていいんだよ」というような感じではあった。どうやらよそ者や外国人が歓迎される土地柄ではないようだ。

バーでは「恒例シロフクロウ射撃大会」というTシャツを売っていた。もちろんこれはシロフクロウ保護を叫んでいる環境保護主義者たちへのつらあてである。あまり趣味が良いジョークとは言えないが、あくまでジョークである。ついでながら僕らの新車のボルボはここの土地にはまったく似合わなかったし、ウォーレンの町ではボルボどころか、トラック以外の自動車に乗っている人はまったく一人も見かけなかった。

ゴールドラッシュの時代には、この町にも中国人はたくさんやってきて、金を掘ったり、畑を耕して野菜を作ったりしていた。彼らの住んでいた住居のあとや、使っていた食器なんかは今でもちゃんと残っている。この町（というよりは集落だ）には農業局の小さな出張所があって、そこの壁のペンキ塗りをしていた高校生くらいの年の女の子が、親切に僕にそのウォーレンの町の由来みたいなのを教えてくれた。チャイナタウン研究家である松村君によると、中国人マフィアの手はこんな僻地《へきち》にも及んでいて、彼らは同胞に仕事を斡旋《あっせん》すると同時に、賭博と阿片でその金を巻き上げていたのだということである。ここでは売春も盛んであったようで、美貌《びぼう》の中国娘をめぐる様々な伝説も残っているらしい。でも農業局出張所でもらったまじめな資料には、賭博のことや売春のことは一行も書かれていなかった。

このウォーレンの町では、不思議なことにその辺に落ちている石ころがみんなきらきらとまぶしく輝いていた。町の中を流れている小川の底も、見事に黄金色に光っている。石を拾ってよく見ると、表面に薄い金箔《きんぱく》がまるで苔《こけ》みたいにぴたっと張り付いている。最初のうちはひょっとしてこれは本物の金じゃないのかと思って、けっこう一生懸命にそのへんの石を拾い集めていたのだが、途中で「まさか伝説のジパングじゃあるまいし、こんなに沢山ほんものの金が落ちてるわけねえよなあ」と思い直し、馬鹿馬鹿《ばかばか》しくなってやめた。きっと何か別の、とくになんでもない光るだけの鉱物なのだろう。でも昔の金鉱の町で、足下の石や砂が太陽に照らされて黄金色に光っているというのも、狸に騙《たぬきだま》されたみたいでなんだか奇妙な風景だった。ハンフリー・ボガートの映画『黄金』じゃないけれど、黄金というものにはたしかに人の心をふらふらっと狂わせるものがあるのかもしれない。

ロッキー山脈を越え、アイダホからユタに入れば、西海岸はもうすぐ目の前だ。ユタではタフツ大学で一緒だったチャールズ井上先生（泉鏡花研究）のご両親の農園に泊めていただいた。チャールズが僕にいつも「ユタはとてもいいところだから行ってみるといいよ」と勧めてくれていたからだ。チャールズのお父さんは日系二世だったが、戦争中にリロケーションでカリフォルニアからワイオミングの収容所に送られ、戦争が終わっても故郷のカリフォルニアには戻らず、となりのユタに住み着いてしまったという人である。文字どおりの裸一貫からはじめて、今ではガニソンという小さな町のはずれに七百五十エーカーの農園を所有し、子供たちはみんな医師や弁護士や大学教授といった専門職についている。彼らは全員モルモン教徒で、酒もコーヒーも飲まないし、日本に宣教に来ていたせいで大変に日本語がうまい。その子供たちもしかるべき年齢に達すると、ひとり残らずブリガム・ヤング大学で訓練を受けて、宣教師として日本に来ることになっている。

戦争が終わってからも、どうしてカリフォルニアに戻らずモルモン教に改宗したのか――そういう例はきわめて少ない――ということについてはあえて質問しなかったけれど、収容所に入れられているあいだに、きっとお父さんにもいろいろと思うところがあったのだろう。となりに住んでいる息子、医師のドワイトさん（僕と同い年）によれば、「日本人は戦争中にずいぶん迫害されたし、モルモン教徒もアメリカの歴史の中で一貫して迫害《パーセキューション》を受けてきたし、そこに通じ合うところがあったのだろう。どちらも勤勉を徳とするきちんとしたまじめな人々だし」ということだった。まあお互い、みんながみんなそういうわけでもないいんだろうけど……。

スノーモービルをトラックの荷台に乗せて、ドワイトさんの一家と山の上に雪遊びに行ったときに（近所の山頂には六月でも雪が残っている）、僕は彼に「あなたにとって世の中でいちばんいちばん大事なものは何ですか？」と尋ねてみた。「家族だね」とドワイトは一言で言った、「家族ほど大事なものはない。それがすべてのものごとの基礎だ」。彼のトラックのダッシュボードには、ハイスクールの生徒会長選挙に立候補しているハンサムな息子の、顔写真入りチラシが誇らしげに置いてあった。彼はハイスクールを出たら日本に宣教に行くことになっている。

しかしユタにいるあいだは酒が飲めなくて弱った。宗教的な理由で、州全体が人に酒を一滴も飲ませないようにきっちりとできているのだ。ついでながらコーヒーもほとんど飲めない。「まあたまには二、三日くらい、酒なんか飲まなくてもいいじゃないか」

アイダホ州ウォーレン。

ユタ州ガニソンの井上氏。

とも思うのだが、飲めないとなるとちょっと飲みたくなるのが人情というものである。

だいたい日中はすごく暑いから、夕方が来ると冷たい生ビールをぐっと一杯飲みたくな

る。でもどこかに入ってビールを注文するということが簡単にできない。町には酒屋だ

ってない。レストランもまず酒を出さない。だからしょうがなくアイスティーをがぶが

ぶと飲むしかない。

　アリゾナとの州境に近いシダー・シティーという町でモーテルに泊まったら、ダーク

スーツに白いシャツに黒いネクタイといういかにもモルモン宣教師的な青年二人が、フ

ロントに座っていた。「多分これは駄目だろうな」と思ったけれど、すごく喉《のど》が渇いて

いたので、念のために「どこかにビールの飲めるレストランはありませんかね？」と尋

ねてみた。もうそろそろ州境も近いし「ひょっとして」と思ったのだ。しかし青年たち

はやはりむずかしそうに顔をしかめて、「あー、申しわけないけれど、あなたがたはま

だユタにおられますので」と丁寧に（しかしいくぶん冷酷に）答えた。〈そんなに酒が

飲みたければ、アリゾナまで行って飲んでくればよかろう〉という感じだった。僕だっ

てできればそうしたかったけれど、州境まではまだ二時間はかかるし、もうこれ以上運

転なんかしたくない。ひどく暑い一日で、僕らは犬のように丸太のように、切実に疲れ

ていたのだ。

外に出ていろいろと人に尋ねてみると、町のはずれに一軒バー「みたいなもの」があるという。実際にそこまで行ってみたのだが、これはいかに僕らの喉が渇いているとはいえ、足を踏み入れようという気の起きない代物《しろもの》だった。僕は以前フィラデルフィアの片田舎のやはり同様に宗教的な町で、同様に陰鬱《いんうつ》な見かけの酒場に入ったことがあるので、よく知っているのだけれど、こういうところは『鉄仮面』に出てくる地下牢《ろう》のように暗くて、雰囲気がずぶずぶにすさんでいて、あたり一帯のはぐれものの吹き溜《だ》まりみたいになっているのが常である。こんなところに入ってビールを飲んだって、ちっともうまくなんかない。

しょうがないのであきらめて、アルコール抜きの味気ない夕食を食べた。そのあとで車の中をひっくりかえして調べてみたら、数日前にガソリンスタンドで買ったまま置きっぱなしになっていた、馬の小便のように生温かいバドワイザーの缶が一本見つかったので、それをホテルのアイスメーカーの氷で冷やして、ふたりで半分ずつわけてちびちびと飲んだ。切ないながら、これはもう最高にうまかった。

ユタは風景が美しく、風土も興味深いところだったけれど、州境を越えてアリゾナに入り、しけた砂漠の真ん中にあるしけた町の、最初に目に付いたしけたバーで冷えたバドワイザー・ドラフトを注文してごくごくと飲んだときは、やはり正直に言ってほっとした。この罰当たりな世界の、避けようとして避けがたい現実が、僕のからだにじわじわとしみこんでいった。リアルにクールに。うむ、世の中はこうでなくっちゃな、と思った。

アリゾナを通り過ぎ（我々が実際に通り過ぎた部分について述べるならば、サボテンとガソリンスタンドのほかにには、とくになにもないところだった）、ネヴァダ州に入り、いよいよギャンブルの都市ラスヴェガスに到着する。僕は昔から一貫してギャンブルに興味がない人間だけれど、せっかく有名なラスヴェガスに来たんだものと思って、日が暮れてからジャケットを着てカジノに出かける。チップを買い求め、ルーレット台に向かい、べつになんでもいいやと思ってあちこちに適当にチップを置いていると、ビギナーズ・ラックというべきか、うまい具合に百七十ドルくらいチップがたまった。しめしめと思って、それでそのもうけたお金で、中古ジャズ・レコードをけっこうまとめて買い込んだ。ラスヴェガスの街にも、探せば中古レコードの店がいくつかあって、店によってはなかなか面白いものもみつかる。

しかしだいたいどういう性格の人がわざわざ歓楽の都ラスヴェガスまで行って、かび臭い中古ジャズＬＰをせっせと漁《あさ》ったりするのだろう？　おそらく百七十ドル勝ったたくらいで、そわそわと落ち着かなくなり、そのままルーレット台を離れてしまうような謙虚な（あるいは貧乏性というべきか）性格の人だろう。

でもカメラの松村君は僕よりももっとひどくて、スロットマシーンでチップが両手いっぱいざらざら出てきただけで、緊張のあまりお腹《なか》が急激に痛くなり、部屋に帰って下痢をしてしまった。あとで憔悴《しょうすい》した顔つきで戻ってきて、「あの、僕はあんまりギャンブルに向かないみたいですね」と言っていたけれど、たぶんそのとおりだろうと思う。ぜんぜん向いてないと思う。というわけで、僕らはラスヴェガスでは破滅もせず、金持ちにもならなかった。中古レコードがまた増えただけだ。しかしいまさらジミー・スミスのLPを買っていったいどうするんだ？

ネヴァダ州をあとにして、ようやく我々の旅行にとっての最後の州カリフォルニアに入る。まわりは、サボテンのほかにはなんにもない砂漠が延々と続く。その真ん中にただまっすぐな高速道路が延びている。ただこれまではすれ違う車も珍しいくらいが、ら、だったインターステート・ハイウェイが、突然すいた日の東名高速道路くらいの感じに混み合ってくる。そしてだらだらとした長い坂を上りきって峠を越えると、遥《はる》か彼方《かなた》の眼下に、逃げ場を失った巨大な魂のような、奇妙な白いかたまりがくっきりと見える。ぺたっと平べったいかたちをしており、そのままお皿にのせて、ナイフでふたつにすっぱりと切れそうに見える。しばらく考えてからやっと、それがロスアンジェルス名物のスモッグであることが理解できる。

それはなんだか妙な気分だった。大都市のスカイラインが見えるわけでもないし、太平洋の青い海原が見えるわけでもない。なにか特別なものが出迎えてくれるわけでもない。峠を越えるとあっちのほうに白いスモッグのかたまりが見えて、「なるほど、あれがロスアンジェルスか」と思うだけのことだ。アンチ・クライマックスとまでは言わないけれど、「ああ、これでようやく我々はアメリカ大陸を横断して、西海岸に到達したのだな」というような深い感動は、そこにはない。

感慨のようなものは、我々が坂を下ってそのスモッグの中にすっぽりと呑《の》み込まれ、六車線くらいあるロスアンジェルスの郊外のフリーウェイを走っているときに、ふと抱いた。こう言ってしまうと身も蓋《ふた》もないけれど、「やれやれ、ここは本当に巨大な国であり、本当に長い旅行だったなあ」と。

神戸まで歩く

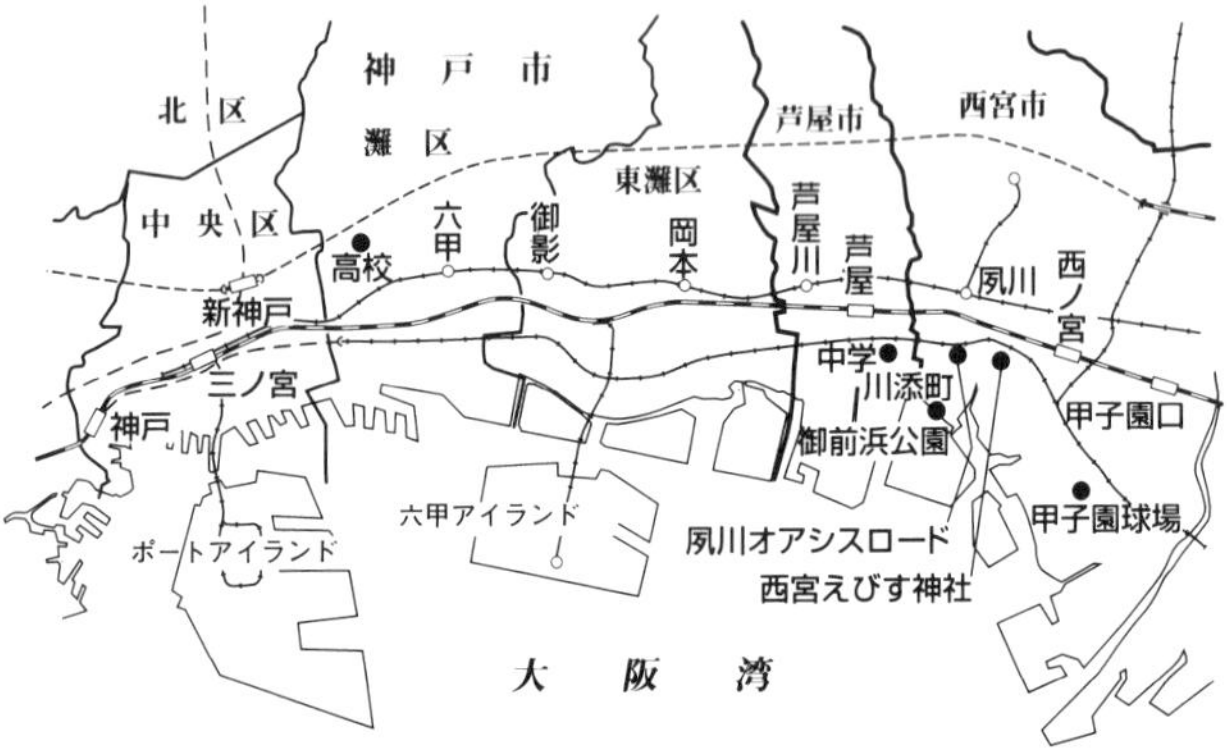
北区
神戸市
灘区
中央区
東灘区
芦屋市
西宮市
高校
六甲
御影
岡本
芦屋川
芦屋
夙川
西ノ宮
新神戸
三ノ宮
神戸
中学
川添町
御前浜公園
甲子園口
甲子園球場
夙川オアシスロード
西宮えびす神社
ポートアイランド
六甲アイランド
大阪湾

97年5月。一人で西宮から神戸まで歩いた。とにかく一度歩いてみたかったのだ。これはその少しあとにどこに掲載するというあてもなくいわば自分のために書いた文章で、結局発表する場所も思いつかないまま、本書に収録することになった。故郷について書くのはとてもむずかしい。傷を負った故郷について書くのは、もっとむずかしい。それ以上言うべき言葉もない。松村映三君があとから僕の歩いた道筋をたどって、写真を撮ってくれた。

夙川のオアシスロード。

1

西宮あたりから神戸・三宮まで、一人で時間をかけて歩いてみようと思いたったのは、今年の五月のことだった。たまたま泊まりがけで京都にでかける仕事があり、その足で西宮までまわった。西宮から神戸までは、地図で見ると十五キロメートルくらいの道のりになる。決して「すぐそこ」という距離ではないが、足にはまあ自信はあるし、歩きるのに苦労するほどの道のりでもない。

僕は戸籍上は京都の生まれだが、すぐに兵庫県西宮市の夙川《しゆくがわ》というところに移り、まもなくとなりの芦屋《あしや》市に引っ越し、十代の大半をここで送った。高校は神戸の山の手にあったので、したがって遊びにいくのは当然神戸のダウンタウン、三宮あたりということになる。そのようにしてひとりの典型的な「阪神間少年」ができあがる。当時の阪神間は――もちろん今でもそうなのかもしれないけれど――少年期から青年期を送るには、なかなか気持ちの良い場所だった。静かでのんびりとしていて、どことなく自由な雰囲気があり、海や山といった自然にも恵まれ、すぐ近くに大きな都会もあった。コンサートに出かけたり、古本屋で安いペーパーバックを漁《あさ》ったり、ジャズ喫茶に入り浸ったり、アートシアターでヌーヴェルヴァーグの映画を見ることもできた。洋服といえばもちろんVANジャケットだった。

でも大学に入るときに東京に出て、そこで結婚して仕事を持ち、それからあとはあまり阪神間には戻らなくなった。たまに帰郷することがあっても、用事が済むとすぐに新幹線に乗って東京に帰った。生活が忙しかったこともあるし、外国で暮らした期間も長かった。それに加えて、いくつかの個人的な事情がある。世の中には故郷にたえず引き戻される人もいるし、逆にそこにはもう戻ることができないと感じ続ける人もいる。両者を隔てるのは、多くの場合一種の運命の力であって、それは故郷に対する想《おも》いの軽重とはまた少し違うものだ。どうやら、好むと好まざるとにかかわらず、僕は後者のグループに属しているらしい。

実家はずっと芦屋市にあったが、九五年一月の阪神大震災でほとんど居住不可能になって、両親はそのあとすぐ京都に越した。というわけで、僕と阪神間とを結びつける具体的な絆《きずな》は、今では——記憶の集積（僕の重要な資産）の他には——もはや存在しない。

だから正確な意味でそこを「故郷」と呼ぶことは、もうできない。その事実は、僕にいくらかの喪失感をもたらす。記憶の軸が、身体《からだ》の中でかすかな音を立てて軋《きし》む。とても、物理的に。

しかし逆に考えてみれば、だからこそ僕は、その土地を自分の足で一歩ずつ丁寧に歩いてみたいと思ったのかもしれない。自明の絆を失った「故郷」が、自分の目にどのように映るものか、検証してみたかったのかもしれない。そこに僕はいったいどのような自分自身の影を（あるいは影の影を）見出《みいだ》すことになるのだろう？

それからもうひとつ、二年前のあの阪神大震災が自分の育った町にどのような作用を及ぼしたのか、それを知りたかった。地震のあと僕は神戸の街を何度か訪れ、言うまでもなく、その傷跡の深さにショックを受けた。でもそれから二年を経過して、ようやく落ち着きを取り戻したかに見える町が、実際にどのような変貌《へんぼう》を遂げたのか、そしてあの巨大な暴力が町から何を奪い、何を残していったのか、自分の目で見届けてみたかったのだ。それはおそらく僕自身の今の存在とも少なからず関係したことであるはずなのだから。

ゴム底のウォーキング・シューズをはき、ノートと小さなカメラをショルダー・バッグに入れ、阪神西宮駅で降りて、そこを出発点として西に向かってゆっくりと歩き始める。サングラスが必要なほどの好天気だった。まず南口にある商店街を抜ける。小学生の頃、自転車に乗ってよくここまで買い物に来た。市立図書館も近くにあって、暇さえあればそこに通い、いろんな種類のジュヴァナイル（少年向きの本）を読書室で片端から貪《むさぼ》るように読んだものだ。プラモデルを買う模型屋もあった。だからこのあたりは、僕にとってはずいぶん懐《なつ》かしい場所だ。

もっとも最後にここを訪れたのはずいぶん昔のことだから、商店街はほとんど見分けがつかないくらい様変わりしている。その変化のどこまでが通常の時間の経過によるものなのか、どこからが地震の物理的被害によるものなのか、僕には正確な判断が下せない。それでも、二年前の地震が残した傷跡はやはり歴然としている。建物が倒壊した空き地が、まるで歯が抜けたあとのようにぽつぽつと点在し、それらを結ぶようにプレハブ造りの仮店舗が軒を連ねている。ロープで仕切られた空き地には夏の緑の草がはびこり、路面のアスファルトには不吉なひびが残されている。広く世間の注目を浴び、その中で急速の復興を遂げている神戸の中心の繁華街に比べると、そこに残された空白はなぜか重く鈍く、そして静かに深いように見受けられる。もちろんこれは西宮の商店街だけのことではあるまい。ほかにも同じような傷を背負い続けている場所は、神戸のまわりに数多く、多くを語られないままに存在しているはずだ。

商店街を抜けて通りを渡ると、そこには西宮の戎《えびす》神社がある。とても大きな神社だ。境内には深い森がある。まだ小さな子どもだった頃には、僕らの仲間にとってここは素晴らしい遊び場所だった。しかしその傷跡は見るからに痛々しい。阪神国道に沿って並んでいる巨大な常夜灯の大部分は、肩口から上の灯籠《とうろう》の部分が失われている。それらは鋭い刃物ではねられた首のように、足下の地面に不揃《ふぞろ》いに転がっている。残された土台は意識と方向を失った石像となって、夢の中に現われる象徴的なイメージのように、もの言わず重々しくそこに建ち並んでいる。

子供の頃よく小海老《こえび》釣りをした池の古い石橋は（紐《ひも》をつけた空き瓶にうどん粉の餌《えさ》を入れて水の中に落としておくと、小海老が入ってくる。適当にそれを引き上げる。簡単だ）、崩れ落ちたまま放置されている。その水はまるで時間をかけて煮詰めたみたいにどろどろに黒く濁り、年齢不詳の亀《かめ》たちが乾いた岩の上で、おそらくは何を思うともなくのっそりと甲羅干しをしている。激しい破壊のあとがいたるところに生々しく残り、あたり一帯はなにかの遺跡のようにさえ見える。ただ境内の深い森だけが、僕の記憶にある昔の姿と変わることなく、時間を超えてひっそりと暗く、そこにある。

僕は神社の境内に腰を下ろし、初夏の太陽の下でもう一度あたりを見まわし、そこにある風景に自分を馴染《なじ》ませる。僕はその風景を自分の中に自然に受け入れようとする。意識の中に、皮膚の中に。「あるいは自分がこうあったかもしれないもの」として。でもそれには長い時間がかかる。言うまでもなく。

2

西宮から、夙川まで歩く。正午までにはまだ間がある。足早に歩くと、少し汗ばんでくるくらいの陽気だ。自分が今どのあたりを歩いているか、地図を見るまでもなく見当はつくのだけれど、ひとつひとつの通りには見覚えがない。かつてよく歩いたはずの道なのに、さっぱり記憶がないのだ。「どうしてこんなに見覚えがないのだろう？」と僕は不思議に思う。いや正直なところ、混乱したといってもいいくらいだ。まるで家に帰ってきたら、家具が全部入れ替わっていたみたいな感じだ。

でもその理由はすぐに判明する。空き地の場所がネガとポジみたいに入れ替わっているのだ。つまりかつて空き地であったはずの土地がもはや空き地ではなくなって、かつて空き地でなかったはずのところが今では空き地になっている。だいたいにおいて前者は空き地が宅地に変わったためであり、だいたいにおいて後者は大震災によって古い家屋が消滅したためである。それらふたつの作用が（前後して）重なり合うことによって、僕の記憶の中にあった過去の町の光景はいわば相乗的に架空のものとなってしまったのだ。

僕がかつて住んでいた夙川近くの古い家もなくなっていた。あとにはタウンハウスのようなものが建ち並んでいた。近くにあった高校のグラウンドは、地震罹災者《りさいしゃ》のための仮設住宅になっており、僕らが昔野球をして遊んだあたりには、そこに暮らしている人々の洗濯物や布団《ふとん》がところ狭しという感じで干してあった。じっと目を凝らしてみても、かつての面影はほとんどない。川の水は以前と同じように澄んで美しかったけれど、あまりにもきちんとコンクリートで川底が固められているのを見るのは、なにかしら奇妙なものだった。

海のほうに向けて少し歩き、近くの小さな寿司《すし》屋に入る。日曜日の昼なので、出前の注文で忙しそうだ。出前を届けに行った若いのがなかなか戻ってこなくて、主人は電話の応対に追われている。日本中どこにでもある風景だ。注文したものが出てくるまで、テレビを見るともなく見ながらビールの中瓶を飲む。兵庫県知事が、震災後の復興ぶりについてゲストと何かを語っている。どんなことを話していたか、今思い出そうとしているのだが、すっかり忘れてしまった。

堤防を上ると、かつてはすぐ目の前に海が広がっていた。なにひとつ遮るものもなく。僕は子供の頃、夏になれば毎日のようにそこで泳いでいた。海も好きだったし、泳ぐのも好きだった。魚釣りもした。毎日犬をつれて散歩をした。ただそこに座ってじっとしているのが好きだった。夜中に家を抜け出して友だちと一緒に海岸に行って、流木をあつめて焚《た》き火をした。海の匂《にお》いや、遠くから聞こえてくる海鳴りの音や、海の運んでくるものが好きだった。

でも今は、そこにはもう海はない。人々は山を切り崩し、その大量の土をトラックやベルトコンベアで海辺まで運び、そこを埋めた。山と海が近接した阪神間は、そのような土木作業には実に理想的な場所だ。山が切り崩されたあとにはこぎれいな住宅が建ち並び、埋め立てられた海にもやはりこぎれいな住宅が建ち並んだ。それがおこなわれたのは、僕が東京に出てからしばらくあと、高度成長時代、列島改造ブームの最中のことである。

僕は今、神奈川県の海岸の町に家を持って、東京とこの町を行き来して暮らしているのだが、この海岸の町は僕に——それは残念といえば、とても残念なことなのだが——

今では故郷よりも強く故郷を思い出させてくれる。そこにはまだ泳げる海岸があり、緑の山がある。僕はそういうものを、僕なりに護《まも》っていきたいと思っている。過ぎ去ってしまった風景は、もう二度とはもとに戻らないのだから。人の手によっていったん解き放たれた暴力装置は、決して遡行《そこう》はしないのだから。

　堤防の向こう側、かつて香爐園《こうろえん》の海水浴場があったあたりは、まわりを埋め立てられて、こぢんまりとした入り江（あるいは池）のようになっている。そこでは一群のウィンドサーファーたちが風をつかまえようと努力している。そのすぐ西側に見えるかつての芦屋の浜には、高層アパートがモノリスの群れのようにのっぺりと建ち並んでいる。浜辺ではワゴン車やワンボックス・カーでやってきた何組かの家族連れが、携帯ガスコンロを持ちこんでバーベキューをしている。いわゆる「アウトドア」だ。肉や魚や野菜を焼く白い煙が、日曜日の晴れがましい情景の一部として、のろしのように空に向けて静かに立ちのぼっている。空にはほとんど雲ひとつない。五月の昼下がりの、のんびりとした風景だ。非の打ちどころがないといってもいいくらいだ。でもコンクリートの堤防に腰を下ろして、かつてほんものの海のあったあたりをじっと眺めていると、そこにあるすべてのものごとが、まるでタイヤの空気が抜けるみたいに、僕の意識のなかで少しずつ静かに現実味を失っていく。

その平和な風景の中には、暴力の残響のようなものが否定しがたくある。僕にはそのように感じられる。その暴力性の一部は僕らの足下に潜んでいるし、べつの一部は僕ら自身の内側に潜んでいる。ひとつは、もうひとつのメタファーでもある。あるいはそれらは互いに交換可能なものである。彼らは同じ夢を見る一対の獣のように、そこに眠っているのだ。

小さな川を越えて芦屋市に入る。かつて通っていた中学校の前を通り過ぎ、かつて住んでいた家の前を通り、阪神芦屋駅まで歩く。駅のポスターを見ると、日曜日（今日だ）の二時から甲子園球場で「阪神・ヤクルト」のデーゲームがおこなわれるとある。それを見ていると急に甲子園球場に行きたくなってきた。急遽《きゅうきょ》予定を変更して大阪行きの電車に乗る。まだ試合は始まったばかりだ。今からいけば三回くらいには間に合うだろう。この続きはまた明日歩けばいい。

甲子園球場は僕が子供だった頃とほとんど同じだ。まるでタイムスリップしたみたいな懐かしい違和感——奇妙な表現だが——を、僕はひしひしと感じることになる。球場で変わったのは、水玉模様のタンクをかついだカルピス売りがいなくなったこと（どうやら世間にはカルピスを飲む人があまりいなくなったみたいだ）、それから外野スコアボードが電光表示になったことくらいである（おかげで昼間は字がひどく見づらい）。グラウンドの土の色も同じ、芝生の緑色も同じ、阪神ファンも同じ。地震があっても革命があっても戦争があっても、何世紀たっても、阪神ファンの姿だけはおそらく変わらないのではあるまいか。

野球は川尻《かわじり》と高津の投げ合いで、結局1対0で阪神が勝つ。一点差とはいっても、とくにスリリングな試合ではない。どちらかといえば見せ場のほとんどない試合だ。もっと極端にいえば、べつに見なくてもいいような試合だ。とくに外野席の観客にとっては。日差しだけがますます強くなり、いやに喉《のど》が渇く。冷たいビールを何杯か飲んで、その当然の結果として、外野のベンチの上でときおりうとうとと居眠りをする。目を覚ましたとき、自分が今どこにいるのか、一瞬見失う。〈僕はいったいどこにいるのだ？〉照明灯の影が折れ曲がって、すぐそこにのびている。

3

神戸の町で適当に目についた小さな新しいホテルに部屋をとる。泊まっている客の大半は若い女性のグループだ。そういうタイプのホテル。朝六時に起きて、ラッシュアワーの前に阪急電車で芦屋川《あしやがわ》駅に出る。そしてそこから、ささやかな徒歩旅行の続きにとりかかる。昨日とはうって変わって空は雲に覆《おお》われ、いくぶん肌寒い。午後から雨が降り始めるだろうと、新聞の天気予報はいやに自信ありげに告げていた。不吉な予言だけを告げる、あのカサンドラみたいに（もちろんそれは的中し、僕は夕方にずぶ濡《ぬ》れになった）。

三宮駅で買った朝刊にはまた、「須磨《すま》ニュータウン（そこもやはり山を切り崩してできた新しい町なのだろう、と僕は想像する。耳慣れない地名だから）で少女を二人襲い、ひとりを死亡させた〈通り魔〉がまだ逮捕されていない、手がかりらしきものもほとんど得られないままである。小さな子供を持つ住民は恐怖を感じている」とあった。その時点ではまだ土師淳《はせじゅん》君の殺人はおこなわれてはいない。しかしいずれにせよ、それが小学生を狙《ねら》ったむごたらしく、陰惨で、無意味な犯罪であることに変わりはない。僕はほとんど新聞を読まないので、そんな事件があったことすら知らなかった。

記事の行間に、平板でありながら奇妙に深い、不気味なアンダートーンが漂っていたことを僕は記憶している。その新聞をたたみながら、「男がひとりで平日の昼間からぶらぶらと町を歩いていると、あるいは妙な目で見られるかもしれないな」と僕は思った。

新たな暴力の影が、その場所における僕の、新たな意味あいでの〈異物性〉を浮かび上がらせることになる。自分が場違いな場所に紛れ込んでしまった、招かれていない客のように感じられる。

阪急電車の山側の道を、ときどき回り道しながら西に向けて歩き、三十分ほどで神戸市に入る。芦屋は南北に細長い町だ。東西に歩けば、あっというまに向こうまで通り抜けてしまう。左右に目を配りながら歩いていくと、やはりあちこちに地震によって生じた空き地が目につく。人気のない傾いた家もたまに見かける。阪神間の土は関東とは違ってもともとが山の砂地だから、さらりとして色合いも白っぽい。だから余計に空き地の存在が目立つ。地面には緑の夏草が茂り、その鮮明なコントラストが目を射る。それは僕に、親しい人の白い肌に残された、大がかりな外科手術の傷跡を連想させる。そのイメージはあくまで物理的に、時間と状況を超えて、僕の皮膚を刺す。

もちろんそこにあるのは雑草を茂らせた空き地だけではない。いくつもの建築現場が目につく。あと一年もたたないうちに、このあたりには新築家屋が建ち並んでいることだろう。おそらく見違えるばかりに。そこでは新しい瓦《かわら》が、新しい太陽の光を受けて、眩《まぶ》しく輝いていることだろう。しかしそうなったとき、そこに生まれでた新しい風景と、僕という人間のあいだには、自明な共有感はもはや存在しないかもしれない（たぶん存在しないだろう)。地震という圧倒的破壊装置が否応《いやおう》なく露呈させた新たな分水嶺《ぶんすいれい》が、そのあいだにはあるかもしれない(たぶんあるだろう)。僕は空を見上げ、薄く曇った朝の空気を胸に吸い込み、僕という人間を作ってきたこの土地について想《おも》い、この土地に作り上げられた僕というひとりの人間について想う。そのような、言うなれば、選びようのないものごとについて。

となりの阪急岡本駅に着いたら、そこでどこでもいいから喫茶店に入ってモーニング・サービスの朝食でも食べようと思う。考えてみれば朝から何も食べていないのだ。でも実際には、朝から開いている喫茶店なんてどこにも見あたらなかった。そうだ、ここはそういう種類の町ではないのだ。しかたなく国道沿いのローソンでカロリーメイトを買い、公園のベンチに座ってひとり黙々とそれを食べる。そして缶入りのコーヒーを飲む。これまでの道のりで目にしたものごとについてのメモを取る。それから一服して、ポケットに入れてきたヘミングウェイの『日はまた昇る』の続きを何ページか読む。高校時代に読んだ記憶があるのだが、ふとした経緯《いきさつ》でホテルのベッドの中で再読することになり、すっかり夢中になってしまった。どうして昔はこの小説の素晴らしさがわからなかったのだろう。そう思うと、なんだか不思議な気がする。たぶんなにか別のことを考えていたのだろう。

その次の御影《みかげ》駅にも、残念ながらモーニング・サービスは存在しなかった。僕は温かい濃いコーヒーと、バターを塗った厚切りのトーストを深く夢見ながら阪急電車の線路に沿って黙々と歩き続け、相変わらずいくつもの空き地といくつもの建築現場を通り過ぎる。そして子供を学校か駅まで送り届ける途中の、何台ものメルセデス・ベンツEクラスとすれ違う。メルセデス・ベンツにはもちろん瑕《きず》ひとつなく、しみひとつない。象徴に実体がなく、流れる時間に目的がないように。それは地震とも暴力とも関係のないものごとなのだ。おそらく。

阪急六甲駅前で、ささやかに妥協をしてマクドナルドに入り、エッグマフィン・セット（三百六十円）を注文し、深い海鳴りのような飢えをようやく満たし、三十分の休憩をとる。時計は九時を指している。朝の九時にマクドナルドに入っていると、自分が巨大な（マクドナルド的な）仮想現実の一部に組み込まれたみたいに感じられる。あるいは集合的無意識の一部になったみたいに。でも実際に僕を囲んでいるのは、あくまで個別的な現実である。考えるまでもなく。個別性が、良くも悪くも、一時的に行き場を見失っているだけのことなのだ。

せっかくここまで来たのだからと思い、額にうっすらと汗をかきながら急な坂道を上って、昔通った高校まで歩いてみる。いつもは満員バスに乗って通っていた道を、ゆっくりと自分の足で歩く。山の斜面を平らにしてつくられた広いグラウンドでは、女子生徒が体育の授業でハンドボールをやっている。あたりはいやにしんと静まり返っていて、彼女たちの発するときおりのかけ声のほかには、物音はほとんど聞こえない。あまりにも静かなので、何かの加減で間違えた空間のレベルに入り込んでしまったみたいな気がするほどだ。どうしてこんなにも静かなのだろう？

遥《はる》か眼下に鈍色《にびいろ》に光る神戸港を見おろしながら、遠い昔のこだまが聞こえないものかと、耳をじっと澄ませてみる。でも何も僕の耳には届かない。ポール・サイモンの古い歌の歌詞を借りれば、そこにはただ沈黙の響きが聞こえるだけだ。まあ、しかたない。なにしろすべては三十年以上も前の話なのだから。

三十年以上も前の話――そう、ひとつだけ確実に僕に言えることがある。人は年をとれば、それだけどんどん孤独になっていく。みんなそうだ。でもあるいはそれは間違ったことではないのかもしれない。というのは、ある意味では僕らの人生というのは孤独に慣れるためのひとつの連続した過程にすぎないからだ。だとしたら、なにも不満を言う筋合いはないじゃないか。だいたい不満を言うにしても、誰に向かって言えばいいんだ？

立ち上がり、高校を離れ、なんとなく無感動に長い坂道を下り（いささか歩き疲れたということもある）、そのまま新幹線の新神戸駅まで歩く。ここまで来れば、目的地の三宮まではあと一息だ。

4

時間に余裕があったので、純粋な好奇心から、駅前に開業したばかりの巨大な新神戸オリエンタル・ホテルに入ってみる。そこのカフェ・ラウンジのソファに沈み込み、ようやく今日最初のまともなコーヒーにありつく。肩からバッグを降ろし、サングラスをはずし、深呼吸をし、足を休める。ふと思い出して洗面所に行き、朝ホテルを出てから初めて小便をする。席に戻ってコーヒーのおかわりをし、それから一息ついてあたりを見まわしてみる。いやに広々としたところだ。港の近くにあった以前の神戸オリエンタル・ホテル（地震のために今は休業中だが、そこにはほど良いサイズの親密感があった）とは、ずいぶん印象が違う。広々としているというよりは、むしろ「がらんとしている」という表現のほうが実状に近いかもしれない。なんだかミイラの数が不足しているできたてのピラミッドみたいに見える。けちをつけるわけではないけれど、とくに泊まってみたいホテルだとは思えなかった。少なくとも僕の好みではない。

数カ月後に、まさにそのカフェ・ラウンジで暴力団員による拳銃《けんじゅう》の乱射事件があり、その結果二人の人間が命を奪われることになる。もちろんそんなことが起こるなんて、そのときの僕にはわかるわけもない。しかしいずれにせよ、僕はまたそこで、もうひとつの「来《き》たるべき暴力」の影と、いくらかの時差をはさんで偶然すれ違っていたことになる。そう思うと、「たまたま」とはいえなんだか不思議な気がする。過去と現実と未来とが、立体交差のように行き来している。

僕らは今、何故《なぜ》このように深く、そして絶え間なく、暴力の影に晒《さら》されているのだろう？　僕は四カ月後にこのささやかな徒歩旅行を振り返りながら、そして机に向かってこの文章を書きながら、そのような印象をつい抱いてしまう。現在のこの神戸という地域だけを切り取ってみても、ひとつの暴力が、もうひとつの別の暴力に宿命的に（現実的に、あるいは比喩《ひゆ》的に）しっかりと繋《つな》がっているように、僕には感じられる。そこには何か時代的な必然性があるのだろうか？　それともあくまでただの偶然の一致にすぎないのだろうか？

僕が日本を離れてアメリカで暮らしているあいだに、ちょうど阪神大震災が起こり、その二カ月後に地下鉄サリン事件が起こった。僕にとって、それはきわめて象徴的な意味を持つ連鎖であるように思えた。僕はその年の夏に日本に帰ってきて、一息ついてから地下鉄サリン事件の被害者の方々のインタビューにとりかかり、一年後に『アンダーグラウンド』という本を上梓《じょうし》した。僕がこの本の中で追求し、描き出したかったのは、あるいは僕自身が切実に知りたかったのは、我々の社会の足下に潜んでいるはずの暴力性についてであった。僕らが普段はその存在を忘れているけれど、現実に可能性としてそこにある暴力、あるいは暴力というかたちを取って現実に外に出てくる可能性について。だからこそ僕はインタビューの相手に〈加害者〉ではなく、あえて〈被害者〉を選んだのだ。

西宮から神戸までの道をひとりで、二日がかりで黙々と歩きながら、僕はそのような命題についてずっと考えていた。地震の影の中に歩を運びながら、「地下鉄サリン事件とはいったい何だったのだろう?」と考え続けた。あるいは地下鉄サリン事件の影を引きずりながら、「阪神大震災とはいったい何だったのだろう?」と考え続けた。それら二つの出来事は、別々のものじゃない。ひとつを解くことはおそらく、もうひとつをより明快に解くことになるはずだ。僕はそう思う。それは物理的であると同時に心的なことなのだ。というか、心的であるということはそのまま物理的なことなのだ。僕はそこに自分なりの回廊をつけなくてはならない。

そしてさらにつけ加えるなら、「僕に今、いったい何ができるのか」という、より重大な命題がそこにはある。

残念ながら、それらの命題についての明確な論理的結論を、僕はまだ持ち合わせてはいない。僕は具体的にどこにもたどり着いてはいない。今の僕にできるのは、僕の思考の（あるいは視線の、あるいは両足の）たどった現実的な道のりを、このように不確かな散文として、アンチ・クライマックスな器に盛って示すことだけだ。しかしもしできることなら、理解していただきたいと思う。結局のところ僕という人間は、自分の両足を動かし、身体《からだ》を動かし、そのような過程をいちいち物理的に不細工に経過することによってしか、前に進むことができないのだ。そしてそれには時間がかかる。惨《みじ》めなほど時間がかかる。間に合えばいいのだけれど。

ようやく三宮の街に戻り着く。身体はずいぶん汗くさくなっている。それはとくにたいした距離じゃない。でもちょっとした朝の散歩という以上の距離ではある。ホテルの部屋で熱いシャワーを浴び、髪を洗い、冷蔵庫に入っていた冷たいミネラル・ウォーターを一本ひと息で飲み干す。旅行バッグから新しい服を出して着替える。紺のポロシャツと、ブルーの綿の上着と、ベージュのチノパンツに。足は少しむくんでいるけれど、これがかりはとり換えようがない。頭のなかで解決されないままにぼんやりとくすんでいる想い――これも取り出しようがない。

とくにこれといってやりたいことも思いつかなかったので、街に出て目に付いた適当な映画を見る。感動的とは言えないにしても、それほど悪くはない映画だ。トム・クルーズ主演。身体を休め、時間をやり過ごす。人生の中の二時間が経過する――感動もなく、それほど悪くもなく。映画館を出るともう夕方近くになっている。散歩がてら山の手の小さなレストランまで歩く。ひとりでカウンターに座ってシーフード・ピザを注文し、生ビールを飲む。一人の客は僕しかいない。気のせいかもしれないが、その店に入っている僕以外の人々はみんなとても幸福そうに見える。恋人たちはいかにも仲が良さそうだし、グループでやってきた男女は大きな声で楽しそうに笑っている。たまにそういう日がある。

運ばれてきたシーフード・ピザには「あなたの召し上がるピザは、当店の958,816枚目のピザです」という小さな紙片がついている。その数字の意味がしばらくのあいだうまく呑《の》み込めない。958,816？　僕はそこにいったいどのようなメッセージを読みとるべきなのだろう？　そういえばガールフレンドと何度かこの店に来て、同じように冷たいビールを飲み、番号のついた焼きたてのピザを食べた。僕らは将来についていろんなことを話した。そこで口にされたすべての予測は、どれもこれも見事に外れてしまったけれど……。でもそれは大昔の話だ。まだここにちゃんと海があって、山があった頃の話だ。

いや、海も山も、今だってちゃんとある。もちろん。僕が話しているのは今ここにあるのとは別の海と、別の山の話なのだ。二杯目のビールを飲みながら、『日はまた昇る』の文庫本のページを開き、続きを読む。失われた人々の、失われた物語を。僕はすぐにその世界に引き込まれる。

やがて店を出て、前もって予告されたとおり、僕は雨に濡《ぬ》れた。ほんとうに嫌になるくらい、ぐっしょりと濡れた。いまさら傘を買うのも面倒なくらい。

御前浜公園より芦屋市浜風町方面をのぞむ。

辺境を旅する

今の時代に旅行をして、それについて文章を書く、ましてや一冊の本を書くというのは、考えだすといろいろとむずかしいことですよね。ほんとにむずかしい。だって今では海外旅行に行くというのはそんなに特別なことではありません。小田実《まこと》が『何でも見てやろう』を書いた時代とは違うんです。行こうと思えば――つまりその気になって、しかるべきお金さえ出せばということですが――まあだいたい世界中どこにでも行けるんです。アフリカのジャングルにだって行けるし、南極にだって行けます。それもパックで行くことだってできる。

だから旅行に関していえば、たとえどんな遠くに、どんな僻地《へきち》に行くにしても、「これはそれほど特別なことじゃないんだ」という認識がまず最初に頭にないと、駄目だと思うんです。過度の思い入れとか啓蒙《けいもう》とか気負いとかを排して、いわば「いくぶん非日常的な日常」として旅行を捉《とら》えるところから、今の時代の旅行記は始まらざるを得ないんじゃないかな。「ちょっとそこまで行ってくるわ」というのはいささか極端だとしても、「まなじりを決して」という感じだと、読んでいるほうとしてもいささかしんどいですよね。

そういう意味では、アメリカ大陸を車で横断するのと、四国で一日三食、三日間ただただうどんを食べ続けるのと、いったいどっちが辺境なのかちょっとわからなくなってくるところがあります。むずかしい時代です（笑い）。

僕はだいたいにおいて、実際に旅行しているあいだは、そんなに細かく文字の記録はとりません。そのかわりいつも小さいノートをポケットに持っていて、その都度その都度ヘッドラインみたいなものをそこに並べて書き込んでいくんです。たとえば「風呂敷《ふろしき》おばさん！」とかね。あとでノートを開いて「風呂敷おばさん！」という言葉を見れば、ああそうだ、そうだ、トルコとイランの国境近くのあの小さな町にあんな変わったおばさんがいたな、とすっと思い出せるような態勢にしておくんです。要するに自分にとっていちばんわかりやすいかたちのヘッドラインであればいいんです。そういうのを海面に目印のブイを浮かべるように、片端から書き連ねておくわけです。書類引き出しの見出しと同じです。そういうのは何度も何度も旅行しているうちに、だんだん自分なりのやり方がつかめてくるんです。

日にちとか場所の名前とかいろんな数字とかは、忘れるとものを書くときに現実的に困るから、資料としてできるだけ丹念にメモしておきますが、細かい記述とか描写はなるべくなら書き込まないようにする。むしろ現場では書くことは忘れるようにするんです。記録用のカメラなんかもほとんど使いません。そういう余分なエネルギーをなるべく節約して、そのかわりこの目でしっかりいろんなものを見て、頭の中に情景や雰囲気や匂《にお》いや音なんかを、ありありと刻み込むことに意識を集中するわけです。好奇心の塊になる。とにかくそこにある現実に自分を没入させることがいちばん大事です。肌に染《し》み込ませる。自分自身がその場で録音機になり、カメラになる。経験的に言って、そういうもののほうが、あとになって文章を書くときにはずっと役に立つんです。逆な言い方をするなら、いちいち写真を見なきゃ姿かたちが思い出せないようなことって、そもそも面白い生きた文章にはならないです。

だから取材といっても作家は見た目には楽なんです。現場ではほとんど何もしていない。ただじっと見ているだけ。カメラマンだけがばたばたと走りまわってる。そのかわり帰ってからがきついですね。写真は現像したらそれでおしまいだけれど、作家のほうはそこから作業が始まるんです。机に向かって、メモした単語をたよりに頭の中でいろんな現場を再現していくわけです。だいたい帰国して一カ月、二カ月たってから文章を書き始めることが多いですね。経験的に言って、それくらいインターヴァルを置いたほうが結果はいいみたいです。そのあいだに沈むべきものは沈むし、浮かぶべきものは浮かぶし。そして浮かんだものだけがすっとうまく自然に繋《つな》がっていくんです。そうすると文章にひとつの太いラインができてきます。忘れるというのも大事なことなんです。物を書くには。ただそれ以上長く置いちゃうと今度は忘れることのほうが多くなってくるので、ものごとにはあくまで「頃合」というものはあります。

そういう意味では、僕にとって旅行記を書くというのはとても貴重な文章修行になったと思います。考えてみれば、旅行記というものが本来的になすべきことは、小説が本来的になすべきことと、機能的にはほとんど同じなんです。たいていの人は旅行をしますよね。たとえば、たいていの人が恋愛をするというのと同じ文脈で。でもそれについて誰かに語るというのは、簡単なことじゃありません。こんなことがあったんだよ、こんなところにも行ったんだよ、こんな思いをしたんだよ、と誰かに話をしても、自分がほんとうにそこで感じたことを、その感情的な水位の違いみたいなものを、ありありと相手に伝えるというのは至難の技です。というか、ほとんど不可能に近い。そしてその話を聴いている人に、「ああ、旅行ってほんとうに楽しいことなんだな。僕も旅行に出たいな」「恋愛ってそんなに素敵なことなんだ。私も素敵な恋愛がしてみたいな」と思わせるのは、それよりもさらにむずかしい。そうですよね。でもそれをなんとかやるのが、当然ながらプロの文章なんです。そこにはテクニックも必要だし、固有の文体も必要だし、熱意とか愛情とか感動とかももちろん必要になります。そういう意味では旅行記を書くことは、小説家としての僕にとっても非常に良い勉強になりました。もともとは好きで書いていたのですが、結果的にということですね。

僕はもともと旅行記というのが好きなんです。昔から好きです。ヘディンとかスタンリーとか、子供の頃そういう旅行記ものを夢中になって読んで育ってきたんです。童話なんかよりは、その手の「辺境旅行記」がとにかく好きだったですね。ページを繰るたびにすごくわくわくしました。スタンリーが苦労に苦労をかさねてコンゴの奥地で、行方不明のリヴィングストン探検隊を探し当てるところとか、今でも鮮明に覚えています。

新しいところではポール・セローのものなんかもよく読んでいます。よく書かれた旅行記を読むのは現実の旅行に出るよりはるかに面白い、という場合も少なからずあります。

　でも前にも言ったように、こうして誰でもどこにでも行けるようになって、今ではすでに辺境というものがなくなってしまったし、冒険の質もすっかり変わってしまった。「探検」とか「秘境」とかいった言葉がどんどん陳腐化して、現実のレベルではほとんど使えないような状況になってしまった。まあテレビなんかは今でも「秘境なんとか」というような大時代なタイトルをつけたワイド番組をやっているみたいだけれど、そんなものを真に受けているようなナイーヴな人は実際にはほとんどいないですよね。そういう意味では、たしかに今は旅行記にとってあまりハッピーな時代ではないかもしれないです。

　でもいずれにせよ、旅行をするという行為がそもそもの成り立ちとして、大なり小なり旅行する人に意識の変革を迫るものであるなら、旅行を描く作業もやはりその動きを反映したものでなくてはならないと思います。その本質はいつの時代になっても変わりませんよね。それが旅行記というものの持つ本来的な意味だから。「どこそこに行きました。こんなものがありました。こんなことをしました」という面白さ珍奇さを並列的にずらずらと並べただけでは、なかなか人は読んではくれません。〈それがどのように日常から離れながらも、しかし同時にどれくらい日常に隣接しているか〉ということを（順番が逆でもいいんですが）、複合的に明らかにしていかなくてはいけないだろうと、僕は思うんです。そしてまた本当の新鮮な感動というのはそこから生まれてくるものだろうと。

いちばん大事なのは、このように辺境の消滅した時代にあっても、自分という人間の中にはいまだに辺境を作り出せる場所があるんだと信じることだと思います。そしてそういう思いを追確認することが、即《すなわ》ち旅ですよね。そういう見極めみたいなものがなかったら、たとえ地の果てまで行っても辺境はたぶん見つからないでしょう。そういう時代だから。

（これは雑誌「波」に掲載された「辺境を旅する」という談話記事を再構成したものである。）

この作品は平成十年四月新潮社より刊行された。

辺《へん》境《きよう》・近《きん》境《きよう》

新潮文庫　む－5－18

平成十二年六月一日発行
令和二年二月五日二十一刷

著者　村《むら》上《かみ》春《はる》樹《き》

発行者　佐藤隆信

発行所　株式会社新潮社

郵便番号　一六二―八七一一
東京都新宿区矢来町七一
電話　編集部(〇三)三二六六―五四四〇
読者係(〇三)三二六六―五一一一
http://www.shinchosha.co.jp

印刷・錦明印刷株式会社　製本・株式会社植木製本所

ISBN978-4-10-100148-7 C0195